ペットはあなたの

スピリチュアル・パートナー

Spiritual Partner

江原啓之

Hiroyuki Ehara

はじめに

『婦人公論』誌上において、約半年にわたり、ペットとスピリチュアルに付き合っていくうえでの考え方について、連載してまいりました。読者の方はもとより、連載前から講演先などでも「いつかペットにまつわる本を出してください」という声をいただいてきました。今回は、そんな皆さんの声にお応えすべく、じっくりと「ペットと人」の関わりについて、霊的視点からお話ししていきたいと思っています。

私自身、これまでの人生において、動物たちに幾度となく救われてきた経験があります。私の半生については、既刊『スピリチュアル人生相談室』などでもお話ししていますが、四歳で父、そして一五歳で母を亡くしています。高校にあがる頃には一人暮らしをし、自炊から洗濯など、家のことはみな、ひとりでやってきたのです。正直にいえば、人恋しい気持ちになったこともありました。けれども、私は孤独ではありませんでした。

大学生になってからのことですが、一匹の猫と出会ったのです。大学の彫刻室に猫が子どもをたくさん産み、その中の一匹を譲り受けました。とても小さかったので、まるで私自身が母猫になったような気持ちで、ミルクをスポイトで飲ませたりしながら育てました。たいへん愛らしく、日に日に成長していく姿を見ていると、新しく家族が増えたように感じられ、とても嬉しくなったことを覚えています。そのとき、こう思ったのです。「ただかわいいだけの〝ペット〟ではないんだ。同じ重さの〝いのち〟なんだ」と。

それからも、動物とは縁の多い暮らしをしています。新婚当時に飼っていた猫・コナンは、子どもにアレルギーがあって今は一緒には暮らしていませんが、親戚の家で元気に生活していますし、我が家では、二匹の犬を飼っています。この本においてもお披露目していますが、ラブラトールレトリーバーのヴォーチェとボストンテリアのパスタです。写真ではおすましして写っていますが、小さいパスタのほうがやんちゃで、大きいヴォーチェのほうがおとなしい性格です。本当に人間の子どもと同じように、それぞれの個性を感じます。

今、この本を手にしてくださった方には、実際に動物を飼っている方もおいでしょうし、飼いたくても住環境が整わずに飼えないという方、また、かわいがっていた子が天国へ旅立ってしまったという方もいるかもしれません。でも、私はどの方にも申し上げたいのです。あなたが心惹《ひ》かれ、縁を持った動物たちはみな、あなたの「スピリチュアル・パートナー」なのです。どんな出会いも別れも、偶然はなく必然。私たちは、ともに生きていくなかでたましいを磨きあっている仲間なのです。

この本を通して、あなたのペットだけではなく、この地球上にいる生きとし生けるものすべてに愛を向けられるように、思いをこめて、メッセージを送りたいと思います。

スピリチュアル・カウンセラー

江原啓之

Pasta

Voce

目次

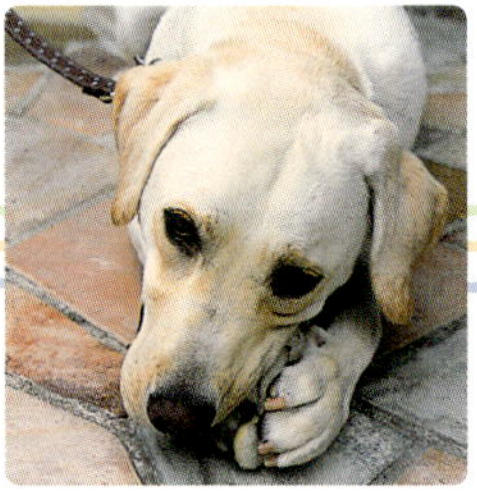

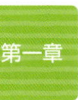

第三章

ペットのトラブルSOS

第四章

動物たちのスピリチュアリティ

第五章

幸せな別れ方

ペットはあなたのスピリチュアル・パートナー

第一章　ペットとの出会い

ペットとして
生きる意味

犬や猫、小鳥など、ペットとして飼われる動物たち。日頃あなたを癒《いや》してくれる彼らにも、この世に生まれてきた意味があります。ペットとして飼われる動物は、同じ動物でも、野生動物とはまた異なる学びの課題を持って、あなたの元にやってきたのです。それは、人とふれあう中で愛を学び、たましいを成長させるという課題です。こんなふうにお話しすると、「動物にもたましいがあるの?」と不思議に思った方もいるかもしれません。けれども、私たち人間も、動物も、霊的世界（スピリチュアル・ワールド）からやってきた霊的な存在、つまり〝たましい〟であることにかわりはありません。

違いがあるとすれば、たましいがどこまで進化しているかという成長度合いです。この霊的な進化の順番は、猿人から人間へと進化するという、いわゆる「ダーウィンの進化論」とはまったく異なります。スピリチュアルな視点からみた場合、たましいは、鉱物から植物、植物から動物、そして人霊（人間）へと進化向上していくのです。よく「次は鳥に生まれ変わりたい」とか「この犬はおじいちゃんの生まれ変わりに違いない」という人がいますが、一度人間に生まれたたましいが動物に後退するということはありません。このように、たましいは、たゆまず人霊へと進化することを目指しているのです。

逆に言えば、私たち人間はかつて植物や動物であった経験があるということ。つまり、たましいのうえでいえば、私たち人間は、動物の「先輩」にあたるのです。ですから、一先輩として、愛をもって動物とふれあうことは、彼らを人間(人霊)へと進化させる手助けをすることにつながってゆくのです。

「愛」というと、一般的には感情主体のものと思われるかもしれませんが、スピリチュアルな視点からみれば、自己中心的な感情を主体とする愛は、「小我《しょうが》の愛」。対して、「大我《たいが》の愛」というのは、他者を思いやることができる愛のこと。相手のことを思うがゆえに、甘やかさずに厳しく接するなど、理性から発露する愛を指します。

意外に思うかもしれませんが、動物にはまだ「大我の愛」という理性はありません。サバンナで母ライオンが子ライオンを守ろうとする映像などを見ると、子を想う愛がそこにあるように感じられるかもしれません。しかし、それは自己保存・生命維持のための本能的な感情、行動であって、根底に理性があるわけではないのです。この「大我の愛」をもっているのは、実は、人霊(人間)だけなのです。

大我の愛を知ることで、少しずつたましいを人間に近づけていく。それが、動物がこの世に生まれてきた一番の目的です。あなたがペットとして出会った子たちは、その課題を学ぶためにあなたを選んでやってきたのです。いうなれば、あなたは、動物のたましいを成長させる〝ボランティア〟をしているようなもの。無償で愛に触れさせているのです。

私はよく、人間が子どもを育てることを「たましいのボランティア」と表現しています。霊的世界には、この世に生まれたいと望むたましいがたくさん待機していて、母親のお腹を貸りてこの世に生まれる機会を得ること自体が、霊的世界への無償の貢献になるという意味でそんなふうにたとえています。当たり前のようにこの世に生まれてきたと思っているかもしれませんが、霊的世界から現世にやってくるのは、実は奇跡のような確率なのです。

ペットたちも、あなたと同じ、人霊（人間）になることを目指して、再生を繰り返しているたましいです。再生については、後述しますが、あなたのもとにやってきた動物たちは、あなたに「たましいのボランティア」をしてもらうことで、大我の愛に目覚めていこうとしているのです。たましいを育てるお手伝いをしているという自覚と責任を持って、動物たちに向き合っていきましょう。

ペットとの
運命的な出会い

ペットショップで目と目があって見つめあう。かつて話題になったテレビコマーシャルではありませんが、実際にこうしたアイコンタクトによって、動物たちと運命的な出会いを果たすことはあります。

アイコンタクトがとれるというのは、動物が本能で「この人は自分にとってのボスだ」と認識していることを表しています。飼い主は、犬や猫にとっては、ある意味親代わりですから、躾《しつけ》をしたり、世話をする立場です。それゆえに、ボスとして認められるか否かが、重要になってくるのです。最初に会ったときのお互いの印象を大事にしてください。

犬や猫を飼う前には、できれば実際に抱いてみることをおすすめします。肌で触れて、しっくりくるか感じてみましょう。あなたに縁のある子であれば、自然となついてきます。なかには、「かわいいけれども何となくしっくりこないな」と感じる子もいると思います。見た目や種類で選ぶのではなく、こうして肌で触れ合うと、お互いのオーラを交換できるのです。

人間も動物も、霊的な存在ですから、オーラや波長があう子かどうかは、直感で見極めることができると思います。犬、猫をはじめ、動物たちは言葉は話しませんが、オーラを通じて人間と触れ合っています。類は友を呼ぶという「波長の法則」は、人間と動物の間でも働くので、あなた自身とどこか共通するところを持ったペットにめぐりあうことができると思います。

生まれたばかりの子を飼いはじめるのと違い、ある程度大きくなってから譲り受けたりするケースもあるでしょう。この場合は、ちょっとした注意が必要です。動物たちは、もとの飼い主のことをしっかり覚えていますから、そのことを心得たうえで、一度その子を抱いてみるのです。もし、騒ぎ続けたり、だっこさせてくれない場合は、早急に飼うことを決めず、何度か足を運んで、自分になついてくれるかどうかみてみましょう。抱いてもなつかないのは、動物から「オーラや波長が馴染まない」という反応があったということですから、そこをよく見極めましょう。

また、もとの飼い主が亡くなった、転勤が決まったなど、やむにやまれぬ事情がある場合は、手放すことになった事情を詳しく聞いておきましょう。途中でバトンタッチをしてボランティアを引き受けるには、幼い頃から飼う以上の愛情を持つことが必要不可欠です。これは、人間の子育てにもいえることですが、いのちを育てることは、中途半端な気持ちではつとまりません。それでも、その出会いは必然。「今度は、最後まで面倒を見てあげるね」という覚悟を決められれば、不安に思う必要はありません。

また、家では飼っていなくても、近所にいる野良猫に餌《えさ》をあげて面倒を見ているという人もいるでしょう。動機しだいではありますが、私は、基本的にはこうした飼い方にはあまり賛成ではありません。愛情がある行為に思えても、その実、どこか無責任なところもあるからです。気質的にいっても、猫は自由気ままなところがあります。それでも、誰かがきちんと責任を持って飼うのか、気まぐれに面倒を見るのかでは、猫たちへの愛の伝わり方もまったく違ってくると思います。病気になったらどうするか、去勢手術は受けさせるのかなど、いざというときの対応を考えていますか？　かわいいから、かわいそうだから。そういった動機だけで、動物と接することは、彼らのたましいにとっては、かえってかわいそうなことなのです。

たましいを
成長させる躾

ペットを飼うとき、飼い主として気を配らなくてはならないのは、なんといっても躾《しつけ》の問題でしょう。どんなペットも、霊性の進化向上を望んで、あなたのもとにやってきた存在です。躾をすることは、たましいを成長させる大前提のレッスンといえるでしょう。

時折、飼い犬がお年寄りや子どもに嚙《か》みついて、ケガを負わせたというニュースを耳にすることがありませんか。あれは、その犬が凶暴だったから起こった事故なのではなく、飼い主側がきちんと躾をしていなかったことに問題があります。どんなにやんちゃな子であっても、人に嚙みついてはいけないことを教えていれば、未然に防ぐことができる事故なのです。そうした問題を起こすと、殺処分されてしまうこともあります。せっかく、この世に生まれ、少しでもたましいを成長させて、やがては人霊になることを目指している志を、道半ばで断念させてしまうのは、あまりにもかわいそうなことではないでしょうか。

たましいのうえでは、犬や猫よりも〝大人〟である私たち人間。だからこそ、動物たちがこの社会で生きやすくするための工夫をこらしていくことが大切なのです。

今は、専門家が躾をするドッグスクールなども数多くあります。基本的なルールはさほど多くありませんから、少しの間預けてみるのも一案ですし、それが難しいとしても、専門の書籍を読んで躾のノウハウを勉強して、実践することはできると思います。

我が家にやってきてからしばらくの間、ヴォーチェは、ドッグスクールのお世話になりました。大型犬ですから、安全に散歩するためにも、声かけの方法など、ベーシックなルールを教えてもらいました。あとは家族がそれを真似て、躾を続けています。パスタのほうはまだ小さく、とにかくやんちゃなのでなかなか言うことを聞かない子ではあったのですが、この本の撮影で専門のペットシッターさんに数時間お世話をお願いしただけで、「伏せ」などの命令をきちんと理解するようになりました。最初のうちは聞き分けてくれなくてもあきらめず、根気よくしつけることが大切なのだと実感しました。

動物は、本能主体で生きていると先述しましたが、特に犬の場合は、家族の中に絶対的なボスがいると、必ずその命令を聞く素直さを持ち合わせています。ボスは、できればその家の長が務めるのがいいでしょう。我が家では、粗相をしたら、声を低くして「ノー」、いい子にしていたり、言うことを聞き分けたら、「グッドボーイ」と褒める。そういうふうにメリハリをつけて接しています。

人間の子どもの躾にも通じる話なのですが、ペットに当たるのと叱るのは別物です。時々、ペットの躾をしている飼い主さんを見ていると、まるで虐待しているかのように声を張り上げ、当たり散らしているように思えることがあります。大声で注意したり、体を叩いたりすると、動物たちはびっくりしてしまいます。当たるのではなく、躾のためには叱ることが大事。叱るのは、感情ではなく理性で行います。声をかけるにしても、トーンを少し下げるだけで、動物たちには十分伝わります。理性的に〝叱る〟ことを覚えましょう。

ペットは、野生動物とは違い、人に触れ合う機会が多く、人と接するたびに大我の愛をたましいに刻んでいきます。トラブルなく人と関係を築いていくためにも、躾という最低限のルールを身につけさせることが飼い主の務めです。そして、きちんと躾を受けることは、動物たちのたましいにとっても、大きな学びであり、喜びでもあるのです。

ペットが
病気になったとき

ペットたちが病気になったとき、飼い主として何をしてあげられるでしょうか。まずは、動物たちにとっての病気とは何かについて考えていきたいと思います。

スピリチュアルな観点から言えば、動物の場合も人間と基本的には同じで、「宿命の病」と「運命の病」があります。「宿命の病」とは、避けがたい病気やケガなどのことで、それによって寿命を迎えます。

人霊（人間）の場合、この世に生まれるときに、自らの学びのカリキュラムとして、その寿命をも決めてきます。動物の場合、人霊ほど厳密ではありませんが、おおよその寿命は決めてきています。

一方、「運命の病」というのは、食事のコントロールなど飼い主が注意していれば、おおよそ避けることができる病気のことをいいます。たとえば食事のことで言えば、人間とまったく同じものを食べさせるのは、動物たちのためにはなりません。

人間の食事は、犬や猫にとっては塩分が多く、健康を害しかねないからです。ペットを溺愛《できあい》するあまり、人と動物、と分け隔てることなく接したいという気持ちなのかもしれませんが、それは、自分本位の愛、つまり、スピリチュアルな視点からいえば、「小我の愛」なのです。本当に愛しているなら、相手を思う愛、

「大我の愛」の視点に立って、彼らにとって一番幸せな道を選択してあげることが大事でしょう。

また、人間の暮らしやすさを重視した住環境は、ペットたちには、不自由に感じられる場合もあるようです。最近増えているのが、家庭内でのケガ。たとえば、室内犬が、フローリングの床で足をすべらせて腰を悪くしてしまうといった事故が多いそうです。この場合、カーペットを敷くなどして滑らない工夫をすることは可能だと思います。

病気や事故を人間の過失によって引き起こし、寿命を縮めてしまうのは、「動物のたましいを成長させるボランティア」を任された立場としては、できるだけ避けたいことです。

未然に病気を防げるのがベストですが、それでも、病気になることもありますし、予防接種や健康診断などで、動物病院にかかることはあるでしょう。そんなとき、どこの病院に連れて行けばいいか、一度はみな悩んだ経験があるのではないでしょうか。

口コミやペットショップの紹介など、病院を選ぶ方法はいろいろありますが、一番よいのは、「動物に聞くこと」です。彼らは、確かに言葉を話すことはできません。けれども、人間よりも優れた察知能力を持っています。病院に連れて行って、獣医師や看護師さんにどのくらいなつくかをみるのです。動物は、相手のオーラをみて、その人のことを敏感に見極めますから、嫌なところであれば、治療や診察の前後も落ちつかず吠《ほ》えたり怖がったりするでしょう。

ある意味では、言葉よりも雄弁に反応を示してくれるはずです。そんなふうに、動物たちの様子を見つつ、いくつかの病院を比較検討してみるのがおすすめです。セカンドオピニオンも聞けますし、動物と獣医師とのコミュニケーションが一番取れていると感じるところを探すためにも、手間を惜しまないことです。また、獣医師はそれぞれに専門分野を持っていますから、あなたの飼っているペットの種類について詳しい先生を見つけることも大切です。

投薬や手術など、動物たちが受ける治療を最終的に選択するのは、飼い主です。獣医師がきちんと説明をしてくれるか、インフォームドコンセントは徹底されているか、あなた自身の主治医を選ぶときと同じくらい真摯《しんし》に探してください。

障害を持って生まれたのはなぜ？

先天的な病気や障害を持って生まれてきたペットと共に暮らすことは、動物、そして私たち人間にとって大きな学びとなります。

ひとつ勘違いしてはいけないことがあります。それは、体が不自由であっても、たましいのうえでは、何の不自由もないということ。この点を理解しているかどうかで、向き合い方が変わってくると思います。

確かに、体にハンディキャップを持っていると、身動きが思うように取れなかったり、行動が制限されることもあるでしょう。しかし、それらはみな、現世で生きるうえでの不便さにすぎません。

ですから、私は「障害」という言葉を使うのは好きではありません。障害ではなく、それはその子の大切な「個性」だからです。その個性があるから、その子らしく輝ける部分もあると私は思っています。

体のハンディキャップがある分、飼い主として、細心の注意を払って世話をしようと心を配るでしょう。医療費などの負担も大きくなるかもしれませんし、何かと手はかかるかもしれません。けれど、だからこそ余計かわいいと感じるのではないかと思います。いつもよりも少し元気な様子であるのを見るだけで嬉しく感じられる。そういうふうに、ささいなことにも感動できるのではないかと思います。

飼い主の献身的な世話を受けて、動物たちもまた、どのような姿であっても、変わらずに愛されることを知るのです。ハンディキャップを持って生まれたことは宿命ですが、そこからどういうふうに生きるかは、運命です。飼い主がどう接していくか、どのようにケアしていくかによって、動物たちが幸せに過ごせるか否かが、違ってくるでしょう。

ハンディキャップを持ったペットとめぐり合ったのも、偶然ではなく、必然です。その出会いの意味を想像してみてほしいと思います。ハンディキャップを持っていることで、かえって密に過ごす時間が増えて、絆《きずな》が深まることもあるかもしれません。

物質的価値観でみれば、障害は不自由で不幸なものと感じる人もいるでしょう。元気に飛び回れない犬や猫を見て、「かわいそう」と思う人もいるかもしれません。けれども、たましいの目でみれば、何も不自由はなく、命の輝きにも変わりはないのです。

また、交通事故で片足を失うなど、後天的な理由でハンディキャップを負う場合もあると思いますが、その場合も同じです。それまでは健康だった体の自由が急に利かなくなるのは、動物たちにとってもつらいことだと思います。飼い主としても、元気だった頃を知っていると、余計「かわいそうだ」と感じるかもしれません。しかし、何かを失った分、得るものは必ずあります。これから、どういうふうに過ごしていくことが動物たちにとって一番幸せかを、最優先にして考えてみてください。飼い主が悲しんだり、つらそうな姿を見るのは、動物たちにとっても悲しいことです。

また、飼い主側の何らかの過失によってケガを負わせた場合、飼い主としての責任を果たせなかったことを責める気持ちになるのはわかります。防げたかもしれない事故だったのでは？　と悔やむ人もいるでしょう。けれど、現実に起こったことは、何よりもまず「受け入れること」が必要です。反省して、今後そうした事故を起こさないようにしようと気をつけることは大事ですが、故意にしたことではないのなら、ペットたちもわかってくれます。一緒に「痛み」を分かち合う。その気持ちがあれば、必ず乗り越えていけるでしょう。

column

飼い始めの時期の注意点

飼い始めの時期に気をつけてあげたいこと。それは、愛の電池を補うことです。とくに、小さいうちに親と別れてやってきた子の場合、飼い主が親代わりになって面倒をみることが必要になります。

我が家のヴォーチェの場合も、生後三ヵ月あまりで家にやって来たので、私が〝親〟の代行となって、指しゃぶりをさせたりしていたものです。しっかりとスキンシップをとって、愛情を注いでいました。

動物の親子間には、「理性的な愛」といったものはありません。そこまでの理性がまだ芽生えていないのです。我が子ではない子犬にお乳をあげる犬がいて話題になったりもしますが、それもその子を自分の子だと勘違いをして行っている本能的な行動であり、理性が発達してないがゆえの行動なのです。

ただ、あまりにも早い時期に離れてしまうと、情緒が安定しない場合もあります。愛情をたっぷり与えることでペットも安心しますし、あなたの中にも飼い主としての自覚が生まれるでしょう。

もっとも、人間の子育てと同じで、ただ、かわいがって甘やかすのは愛ではありません。愛情を与えながらも躾《しつけ》はしっかり行《おこな》うことを忘れないようにしましょう。特に小さいうちの躾は、排泄《はいせつ》の仕方を覚えさせるなど、基本的なルールを教える時期です。かわいいからこそ、愛情をいっぱいこめて躾をしてほしいと思います。

第二章 ペットとのコミュニケーション

動物のオーラ

「動物にもオーラはあるんですか？」と聞かれることがあります。人間の場合は、性格や個性、たましいの成熟度をあらわす「霊体のオーラ」と肉体の健康状態を表す「幽体のオーラ」の二種類があり、誰でもおおよそ複数の色味を持っています。では、動物はどうかというと、オーラはありますが、単色で、オレンジがかったクリーム色をしています。

精神的な成長があってはじめて（霊体の）オーラは輝きを増しますから、自分で理性的に思考をしない動物たちは、多くの色を持ち合わせていないのです。けれども、動物は人のオーラには敏感です。特に犬は鋭く、犬好きな人が近くに来るだけでもビュンビュンと尻尾をふります。実はあれは、相手をオーラで視《み》ているのです。犬は肉眼では色の判別ができず、モノクロにしか見えませんが、たましいの目（霊眼）によって、人間の多彩なオーラを見分けているのです。

では、動物好きな人は、どんなオーラの色を持っているのでしょうか。人間の場合、動物たちとは違って複数の色を持っていますから一概にはいえないのですが、霊体のオーラでいうと、朗らかさを表す黄色や、陽気さを表すオレンジ色を持った人に動物好きの人が多いようです。

けれども動物は、霊体のオーラの色ではなく、むしろ幽体のオーラに表れるその人の「感情」を感じ取って、反応を示すようです。たとえば、犬が苦手でビクビクしている人の感情のオーラは、動物たちからは青く視えます。警戒心があることをオーラによって察知するのです。

動物たちが他の動物や人間のオーラを読み取る本能は、実に優れています。動物たちの前ではどんな嘘もつけないのです。

家にやってきたばかりのペットたちは、最初のうち、家の中のにおいを嗅《か》いだり、歩き回ったりするかもしれません。それは、動物たちが本能的に自分の居場所を確かめるための行動です。これは、スピリチュアルな視点からみれば、歩き回りながら、自分のオーラを周囲に馴染《なじ》ませている、とみることができます。

人の場合も実は同じなのですが、はじめての場所に出向いたとき、妙に落ち着かない感覚になることはないでしょうか。けれども、その場でお茶をいただいたり、話をしているうちに、ふっと馴染んでいく。これもまた、自分のオーラをその場所に移している、いわば、オーラをマーキングしているようなものなのです。

人間も動物も、たましいをもった霊的な存在ですから、実は、こうした点でとても共通点が多いのです。

この「オーラマーキング」は、引越しなどでペットたちの住む場所が変わったときなどにもよくみられます。「何をしているんだろう?」と不思議に思わず、「ああ、家に早く馴染むようにしているんだなあ」と受け取ってあげましょう。

あなたがペットともっと仲良くなりたいと思ったときにも、この「オーラマーキング」は有効です。動物たちが嫌がらない範囲で、だっこしたり、体を撫でてあげましょう。あなたのオーラと動物たちのオーラが馴染んでより仲良くなれるでしょう。

この本の巻末に、動物たちの感情のオーラをもとに、そのとき、彼らがどんな気持ちでいるのかを察知する「インスピレーション訓練カード」をつけています。飼い主のあなたでも、感情のオーラをすぐに読み解くのは難しいと思いますが、察知する訓練をすることで、あなたがどのようにペットと接していけばいいのかを感じ取れるようになるでしょう。

動物は人の言葉がわかるのか？

犬でも猫でも、ペットとして動物を飼っている人なら、「うちの子は、人間の言葉がわかる！」と断言するかもしれません。犬であれば、嬉しいときにはビュンビュンと音をさせるくらいに尻尾を振りますし、猫なら喉《のど》を鳴らして甘えてきます。そうした姿を見ると、人間の言葉や思いを理解しているのだなと感じることでしょう。

霊的な視点でみた場合、動物たちは、人間の言葉を言語として聞いているのではなく、オーラとテレパシーで感じ取っています。

どういうことかというと、例えば、犬に「散歩に行こう」と言ったとき、嬉しそうに尻尾を振るでしょう。ですが、これは「散歩に行こう」という言葉を、音で理解したわけではないのです。「散歩に行こう」と言ったときの飼い主の念をテレパシーで感じ取り、反応を示しているのです。飼い主の思念（思い）が、どのようにテレパシーで伝わるかというと、媒介となるのは飼い主のオーラです。

動物たちは、飼い主のオーラの変化を読んで、思念を感じ取っているのです。

動物は、人の言葉ではなく感情を察知しているので、ちょっといらいらしているだけでも、その念がストレートに伝わります。落ち込んでいる人がいると、まるで慰《なぐさ》めるかのように顔をなめたりする犬がいますが、人霊に近づいている分、人の感情に寄り添ってくれるのだと思います。

犬に比べると、猫は気まぐれなところがあります。猫を飼っている人は「そこがまた猫のかわいらしさだ」と感じているところでしょう。人とのコミュニケーションはとりづらいところがあるかもしれませんが、もちろんテレパシーを受信する能力には優れています。詳しくは後述しますが、猫は霊的なメッセージを伝える霊媒《れいばい》になることもあるほどです。

少し前に、「ペットの言葉がわかるおもちゃ」が開発されて話題になりました。ニュースなどでも大きく取り上げられましたから、覚えている方も多いかもしれません。ペットが何を考えているのか知りたい、ペットたちと会話がしたいと思うのは、動物を飼っている人なら一度は感じることかもしれません。

けれど、そうした機械でコミュニケーションをはかろうとしなくても、本来は十分に「会話」ができるのです。鳴き声ひとつとっても、その時々で変化していますし、表情も変わるものでしょう。動物たちは、本能で生きていますから、嘘の表情を作ることはありません。本当に感じたままを表現しているので、それを読み取る訓練をしていくことが大切です。

ただ、犬、猫、鳥など、その種によって表現方法は異なるでしょうし、同じ種であっても、個体によって個性は違います。ですから、一番のコミュニケーション法は、飼い主がその子をよく観察して、しっかりと触れ合うこと。そうすると次第にお互いのオーラが馴染んで、コミュニケーションがスムーズに取れるようになると思います。

動物たちは、言葉を話さない分、吠《ほ》え方、鳴き方、歩き方などでいろいろなメッセージを伝えてきます。普段と違う様子だったときは、体の不調や異変を訴えていることもありますから、しっかり見極めてください。

コミュニケーションに「マニュアル」はありません。これは、動物対人間、人間同士にも当てはまる普遍的な法則です。相手を見て、何を言いたいのかを感じ取る「想像力」を養いましょう。今、何を感じているのか？　動物たちと接しながら、想像する訓練をしてみましょう。

動物同士のオーラ・コミュニケーション

犬や猫を多頭飼いしたり、小鳥と犬など、違う種の動物を飼っている場合、動物たちにはどのような影響があるのでしょうか。

スピリチュアルな視点からみれば、多頭飼いをすることは、動物同士のたましいを成長させるうえでも、大きな学びになります。人間が動物を飼うのは、自分たちよりも霊性がまだ進化していないたましいを育てるボランティアをするという意味がありましたが、実は同じように、動物同士においても、共に暮らすことでお互いの霊性を高めあうことができるのです。

動物同士の交流も、人間対動物と同じく、オーラを介して行われます。たとえば、犬と一緒に暮らす小鳥は、自分より霊性の高い犬のオーラに触れることができます。動物たちは同じ種であれ、違う種であれ、この「オーラ」によって、コミュニケーションをとっているのです。

日常におけるふれあいを通して、動物たちはお互いの霊性の違いを感じます。そして、自らもたましいを磨こうとするのです。ただ、動物たちには人間にあるような自我はありませんから、他の動物と過ごす中で自然に学びあっているというふうにとらえて頂けたらと思います。

多頭飼いをする場合、飼い主側が気をつけなくてはいけないこともあります。

動物にあるのは、基本的に「本能」のみですから、たとえば、猫と金魚を一緒に飼う場合、弱い立場にある金魚が、猫に襲われていのちを落としたりすることがないようにしなくてはいけません。種別によって、歴然とした力の差はあるのですから、そうした配慮は当然必要になるでしょう。そういった基本的なルールを守ってさえいれば、あとは自由にのびのびと育てていくことが大切です。

とはいえ、動物を複数飼うとき、やはり、「一緒に飼ってケンカしないだろうか」と動物同士の相性を気にするかもしれません。人間同士の場合、私はよく「相性にこだわるのは怠け者の考え方」と申しあげます。自立した人間同士であれば、相性の善《よ》し悪《あ》しなどはなく、お互いの長所も欠点も尊重し、補いあって付き合うことができるはずだからです。

ですが、こと動物同士に限っては、性格によって、合う・合わないが多少はあるかもしれません。気の荒い子とおとなしい子では、一緒に暮らすのが難しい場合もあるでしょう。その場合は、先住のペットの個性をよく考えて、次の子を迎えてください。

ただ、本当に不思議ですが、多少性格の相違はあっても、飼い主がそれぞれに平等に愛情を傾けることで、大抵はうまくいきます。動物には自己保存の本能がありますから、人間が100％の愛情を傾ければ、そのまま100％の愛情を返してくれるのです。それだけに、片方だけを特別に可愛がったりすると、動物もそれを敏感に察知してやきもちを焼くのですが、どちらも同じように目をかけていれば、複数の動物を飼うことはさほど難しいことではありません。

また、先住のペットに、新しくやってくる子のことをきちんと紹介することも忘れないようにしましょう。飼い主が促さなくても本能的に行う場合もありますが、お互いの匂いを嗅《か》がせたりして、オーラを交換させると、比較的早く打ち解けやすくなります。

動物が人を癒す理由

犬や猫、小鳥など、飼っているペットによって癒《いや》されるという人は多いと思います。かくいう私も、どんなに遅く家に帰ってきても、犬たちの顔を見てから床に就《つ》くのが日課になっています。

有史以来、私たちは動物たちと共に暮らしてきましたが、現代ほど、動物たちの持つ癒しのエナジーに助けられている時代はないかもしれません。動物たちのそうしたエナジーは、実際の医療現場などでも注目され、たとえば認知症のお年よりと犬を触れ合わせることで、症状が緩和されることもあるそうです。もちろん、こうした試みは医学的なケアのひとつとして実践されているのだと思いますが、硬い表情をしていたお年よりが、犬と触れ合うことで柔和な表情になっていく様子は、まさにヒーリング効果の表れだと思います。

では、どうして動物が人を癒すことができるのでしょうか。答えはいたってシンプルです。動物というのは、私たち人間が与えた分だけの愛をそのまま返す存在だからです。動物たちは、人間が無意識にでも愛情を傾ければ、それに反応して愛を返してくれるのです。

動物たちの純粋さは、どこか子どもの無邪気さに似ています。小さい子どもは、本能のままにお母さんの愛情を求めるものです。そこには計算などは働いていません。それと同じように、動物たちもまた、人間からの愛情を感じればそれに本能的に愛を返すのです。

癒しの動物として、犬や猫のほかにも、イルカのヒーリング能力の高さに注目する人もいます。確かにイルカは、ほかの動物と比べてもとてもスピリチュアルな生き物で、優れたテレパシー能力を持っています。イルカと寄り添うように泳ぐことで精神的な安定が得られるといった話は、皆さんも耳にしたことがあるかもしれませんが、確かにイルカはある種、霊的なヒーラーといえるでしょう。

ただ、いくら優れた癒しの力を持っているといっても、ストレス過多な人間を癒すことによって動物たちのほうが疲れてしまわないか？　と心配になる人もいるでしょう。もちろん、人を癒すにはかなりのエネルギーを使うと思います。しかし、動物はやはり、本能主体の生き物。本当に疲れていたら、人間には近寄ってきません。動物たちは、何よりも自分を守る自衛本能を優先させていますから、無理をしてまで人を癒すことはまずないでしょう。

けれど、動物たちがあなたを癒してくれたと感じたら、あなたから愛をお返ししましょう。「ありがとう」という思いをこめて念を送るだけでも動物たちは喜びます。

動物に癒してもらうだけではなく、私たちが動物を癒すことも、ペットと人間が共生していくうえで欠かせないことだと思います。

最近巷《ちまた》にはさまざまなペットヒーリング法があふれています。鍼灸《しんきゅう》やアロマテラピー、リフレクソロジーなど、人間が受ける施術となんらかわらないものもあるそうです。これらを健康法のひとつとして補助的に取り入れるのは、別に構わないと思います。こうしたヒーリング法を受けさせるか否かの基準となるのは、動物の健康のためにやっているのか？　という動機の部分です。飼い主側の自己満足だったり、ファッション感覚で受けさせるのであれば、それは人間のエゴ。動物にとっては喜びにはならないでしょう。そもそも動物たちは基本的に自分がどんなヒーリングを受けているかは、それほどわかっていません。与えられるから、そのまま受け止めているだけなのです。

いろいろなヒーリングを受けさせる前に、飼い主だからこそできる癒しがあります。一番動物が喜ぶのは、飼い主がペットを撫でてあげること。手で触れることで、マグネティック（磁気）ヒーリングにもなるし、手から出るオーラで癒すこともできます。それだけで、ペットたちは大きな安心感に包まれますし、何ものにも代えがたいヒーリングになるのです。また、体に触れることで、健康チェックをすることもできます。余談ですが、胃が痛いときにお腹を手でさすったりすることはありませんか。あれは、実は、無意識のうちに手によるヒーリングを実践しているのです。

動物と人間が、癒し癒されながら、共存していくこと。こうした関係を育むことは、お互いのたましいにとって、「無償の愛」について学ぶ大きなきっかけになるのではないかと私は思っています。

column

家庭の秩序を生むペット

私がカウンセリングをしていたころのことですが、家庭の問題をかかえているご夫婦がいらっしゃると、「条件が許すなら、犬を飼ってみてはいかがですか?」と提案していました。

夫婦関係や家庭不和の問題にペットがどう関係するのかと、疑問に思われるかもしれません。先述したように、犬は家族の中で誰がボスなのかを本能的に察知します。そのため、犬のおかげでご主人がボスと認められれば、家庭内に秩序がもたらされるようになっていくのです。

たとえば、ご主人が毎日残業続きで、家庭内のことはすべて奥さん任せ、子育てにも関心を示さないお宅があったとします。そんな環境では、ご主人が長時間ペットに接することは難しいかもしれません。しかし、時間ではなく、どれだけ思いをこめて接するかで、動物たちの人間を見る目は違ってきます。「この人にはかなわない」と悟らせることができれば、ボスと認められるのです。

粗相をしたときに低い声で注意したり、力ではかなわないことを意識的に示すために、（危険のない範囲で）持ち上げてみる。そうすると、犬は、いっぺんに従うようになります。要は、ボスという威厳を示すことで、主人を立てるようになるのです。

実は、これは家族関係においても言えることと。家族の中で家長に威厳があれば、たとえ実際に一緒にいられる時間が短くても、夫や父親への尊敬の念は生まれるのです。

父親に威厳がなくてはいけないというのは、なにも男女差別の発想ではありません。そもそも、たましいには性別はないのです。この世に生まれてきたとき、男性は父性やリーダーシップ、女性は母性愛を学ぶためにその「性」を自ら選んできました。それぞれの性の学びをふまえたうえで、家庭を見直してみては？　という思いをこめて、そんなアドバイスをしていたのです。

第三章　ペットのトラブルSOS

愛情を伝えて
トラブルを防ぐ

ペットを飼っていくうえで、さまざまなトラブルや悩みに直面することがあるでしょう。具体的に事例を挙げながら対応策について考えてみたいと思います。

吠《ほ》える

犬が無駄吠えをして、ご近所トラブルに発展するケースもあるでしょう。犬の場合、よく吠えるのは、性格的に臆病な子に多いようです。飼いはじめの段階で、躾《しつけ》がきちんとできていないと無駄吠えは治りづらいのですが、成犬になってからでも、無駄吠えをしたら「ノー！」と注意をしましょう。

また、臆病さの裏側には、寂しさが潜《ひそ》んでいる場合もあります。よく吠える子ほど、しっかり散歩に連れていったり、撫でたりして、オーラで愛情を伝えてください。不思議なもので、愛情が伝わると安心して、吠える癖《くせ》が減ることもあるようです。

噛《か》む

他の人に噛み付いて危害を加えてしまった場合、最悪のケースでは、殺処分されてしまうこともあります。まだ歯が生えそろわない子どもの頃であれば、物を噛みたがる時期はあります。その時は指などを噛ませず、ガムや専用のおもちゃなどを与えるといいでしょう。けれども、基本的には、噛むことはいけない、としつけることです。人に噛みつく癖がついてしまうと、成犬になってからも、噛むことを悪いことだと認識しません。ルールを教えるのも、飼い主の役目であり、動物たちの霊的な成長を見守るうえでも欠かせないことなのです。

動物にケガを負わせてしまった場合

かつてのご相談の中にも、飼い主側の不注意によってペットにケガを負わせてしまったり、死なせてしまって、どうしたらいいのか？　と悩む人がいました。「あの子たちは私を恨んでいませんか？　浄化できていますか？」と心配されるようです。傷つけてしまった、と思うなら、心から謝ることです。動物であれ、人間であれ、対応は同じなのです。

また、動物を死なせてしまった場合でも、それが故意ではないなら、動物たちもそれを理解して、比較的早く浄化します。われわれ人間と違って、煩悩や欲望などを持っていない分、現世に執着《しゅうちゃく》しません。その分、浄化も早いのです。「本当に申し訳ないことをした」という気持ちを向けて祈り、謝罪の気持ちの分だけ、たくさんの愛をその子に向けてあげてください。あなたの思いはきっと伝わります。

ほかの場所で粗相をする場合

家で飼っている猫が、よその家のベランダや庭に粗相をしてしまう。いくら躾をしていても、外に自由に出る猫だから、防ぎようがない。そんな悩みもよく耳にします。確かに、室内だけで飼っている猫や散歩に連れて行く犬などとは違い、目が行き届きませんから、飼い主としても、「動物のすることだから、そこまで目くじらを立てなくてもいいのでは？」と思っているかもしれません。

しかしこうしたことがもとで、ご近所間のトラブルに発展することが多いのも事実です。ご近所の人がクレームを言ってこないからといって、容認しているわけではないかもしれません。迷惑だと思っていても、日頃の付き合いもあって、はっきりとクレームを言えないでいることもあるでしょう。

ペットを飼っている人はつい忘れがちになることですが、全員が動物好きだとは限らないものです。体質的にアレルギーを持っていて、近くで接することができないという人もいます。外に自由に出ていく動物を飼っているなら、飼い主のほうから、隣近所に迷惑をかけていないか、尋ねる心配りも必要です。

ペットが行方不明になったとき

突然、ペットがいなくなってしまう。それは、飼い主にとっては大きなショックだと思います。人気のある種のペットなどは、盗まれてしまうケースも最近は多いと聞きます。そうした事件性のある場合は除いても、気がついたら外に出て行ってしまって、行方不明になってしまったという事例はたくさんあるようです。

現実的なことを申し上げると、首輪や迷子札をつけていない子の場合、家で飼われていたのかどうかがわかりにくく、迷子になっても、保護されづらい状況があるようです。保健所などに保護された場合でも、飼い主がすぐに保護に現れない場合は、殺処分されてしまうのが、残念ながら、現状です。

ですから、もし、迷子になってしまったら、「いつかそのうち戻ってくる」と悠長に構えず、できるだけ迅速《じんそく》に対応策を考えるほうがいいと思います。普段行きそうな場所を探す、ポスターを貼るといった実務的なことは、近所の人やペットを探す専門家などに助力を得てもいいかもしれません。

また、一方で、スピリチュアルな能力を使って、飼い主自身がペットに語りかけるという方法もあります。動物たちには優れたテレパシー能力があると先にもお話ししましたが、テレパシーを使って探すのです。いなくなった子の名前を心の中で念じながら、「どこにいるのか教えて」とか「家に戻っておいで。待っているから」といったふうに語りかけてみてください。

ただ、こうしたテレパシーによる会話は、普段から試していないと急にはできないかもしれません。たとえば、餌《えさ》をあげるときに、言葉で言うのではなく、テレパシーで訴えてみる。それがきちんと伝わったら、餌を与えるなどしておくといいでしょう。日常の中にこうしたテレパシーによる会話訓練を取り入れておくのです。

いろいろな手を尽くしても、家に帰ってこないときは、ほかに居心地のいい場所を見つけたのかもしれません。あるとき、知人と話をしていて、ふと霊眼に犬が視《み》えました。そこで、その犬と通信をとると、テレパシーが伝わってきたので、私が言葉に変えてその方にお話ししました。それは、「雷の鳴っていた日に迷子になったけれど、すぐに別の人に拾われて幸せに暮らしたから安心してと伝えてほしい」というメッセージでした。「ずいぶん昔のことで自分でも忘れていたけれど、幼い頃に飼っていた犬が行方不明になったことがあった」のだそうです。

また、自分の死期を本能的に悟って、飼い主の元を去ったということも考えられます。特に猫などは、動物的な本能で、死に目を見せたくない、ひとりで逝きたいという思いがあるようで、ふらりといなくなることもあるのです。つらい気持ちはわかりますが、動物たちの思いを汲んで、受け入れるしかありません。

ひとつだけいえることは、永遠に会えなくなったわけではない、ということ。

あなたが天寿を全うして生き抜き、あの世に帰ったときには、その子と必ず会えます。

精一杯探す努力をしても見つからなかったときは、「どこかで元気に暮らしていてね」と念を送ってあげるだけでも違います。たとえ、そこが「天国」であったとしても、動物たちはその声を聴いています。あなたの努力と愛情は決して忘れず、たましいの記憶に刻んでいることでしょう。

いのちを犠牲にしないために～去勢～

ペットと人間が、共生していくために、躾をする以外にもさまざまなケアをしてあげることが必要になってきます。犬猫に限らず、動物たちは、親やきょうだいから離れ、飼い主のもとにやってきたのです。そのご縁を大切にするためにも、彼らが人間と共に円滑《えんかつ》に暮らしていけるようにしてあげましょう。

まず、「去勢《きょせい》」についてスピリチュアルな視点からみた場合の解釈をお話ししていきたいと思います。この問題については、専門家や飼い主さんの間でも意見が分かれるかもしれません。

結論から申し上げると、スピリチュアリズムの観点からいえば、去勢は自然な流れに逆らいますから、本来ならばしないほうがいいのです。

とはいえ、「してはいけない」ということではありません。大切なのは、動機です。自然の流れには逆らうけれども、人と共に暮らし、地域のほかの犬や猫たちと共存していくために「そのほうがいい」ということもあるのです。

例えば、発情期のストレスを軽減してあげたい、生殖器系の病気を未然に防いであげたいなど、去勢手術を考える理由はさまざまあるようです。それがもし、ペットのことを第一に考え、お互いに幸せに暮らすための選択であるならば、一概に間違いとは言い切れないのです。

また、外飼い猫の場合は、去勢しないと、どんどん外で子どもを産んだり（産ませたり）するかもしれません。面倒を見ることができない場合も多いと聞くにつけ、動物のいのちを犠牲にしないために去勢を選ぶというのも、一理あるといえるでしょう。

物事には必ず、光と闇、プラスとマイナスがあります。去勢することによって、動物たちには自然に逆らったというマイナスはありますが、反対に、そのおかげで自由に外に出ることができるというプラスもあるのです。何事も、一面だけを見て否定しないことです。すべては、なぜそうするのか、という思いによるのです。「子どもはいらないから」など、飼い主のエゴだけで去勢するのは小我の愛ですが、それが動物たちのためになるからしようと思うのは、大我の愛です。この違いをよく理解していただけたらと思います。

実際、いつどのようなタイミングで去勢手術を受けさせるかは、専門である獣医師さんと相談するのが一番だと思います。手術を受けた後は、ホルモンのバランスが乱れることもあるかもしれません。状態をよく観察し、必要に応じて獣医師さんに相談して、アフターケアもしっかりすることが必要でしょう。

病気についてお話ししたときにも少し触れましたが、動物をわが子同様にかわいがる人が増え、ペットの健康に対する飼い主の関心は、ますます高まっているように感じます。病気になったとき、入院費の補助がおりる「ペット向けの保険」を売り出す企業も増えてきました。健康で長生きしてほしいという思いを受けて、動物が受けられる医療の選択肢も高度かつ多岐にわたってきています。去勢手術だけではなく、あなたが飼い主として、どの治療や医療を選択するのかを決めるのですから、迷うことも当然あると思います。その際は、周りがやっているからという理由で同じように受けさせるのではなく、動物たちのことを第一に考えて、「うちの子の場合はどうするのが最善か」を選ぶようにしましょう。

赤ちゃんや子どもと暮らす

赤ちゃんとの同居

犬や猫を家庭で飼うとき、時に問題になるのが、赤ちゃんや幼児との同居についてです。新たに飼おうとしている時期であれば、落ち着くまで待ってみるのも一案でしょう。特に家の中で放し飼いにしている猫の場合は、自由に動ける分、赤ちゃんにケガをさせてしまうこともあるかもしれません。しかし、基本的には飼い主がきちんと気をつけていれば、未然に防ぐことが出来るトラブルがほとんどだと思います。

赤ちゃんが生まれた場合、先住のペットが嫉妬《しっと》することもあるかもしれません。そこで鍵となるのが、オーラによるコミュニケーションとテレパシーによる会話です。赤ちゃんが生まれたら、先住の犬や猫に対して「新しく我が家の一員となった○○です。よろしくね」といったふうに紹介をして、危険のない範囲で、においを嗅《か》がせるのです。こうすることで、オーラによる交流がはかれ、ペットたちも、赤ちゃんの存在を認めるようになるでしょう。

問題があっては大変だから、と動物を遠ざける人もいるようですが、すでに飼っている動物と共生していく工夫をすることが大切です。

子どもとの同居

小学校高学年くらいまでの子どもと動物の接し方にも、ちょっとした工夫が必要です。我が家の子どもたちを見ていても感じることですが、犬（猫）がかわいいあまり、いろいろとちょっかいを出したくなるようです。じゃれあうように追いかけたりするのも、子どもにしてみればちょっとした遊びのつもりなのかもしれませんが、動物からすると本能的に身の危険を感じて、攻撃をしかえすことがあるのです。とくに幼い子どもの場合、遊びの加減がわからずに接していることが多く、急に噛《か》み付かれたり、爪でひっかかれたりしやすいのです。

動物たちは、本能的に家族の中で誰がボスなのか下なのかを見極めていますが、子どもに対しては大抵、下に見ていることが多いようです。そのため、言葉は悪いかもしれませんが、どこかなめているところがあるのかもしれません。ですから、小さい子どもがいる家で動物を飼うときは、親がまず動物に対してリーダーシップを取り、子どもたちが動物に触れるときも、度を越してからかったりしないように気をつけるほうがいいでしょう。

子どもが「動物を飼いたい」と言ったら

「子どもが犬を拾ってきたが、我が家では飼えない。どう説得すればいいか」といった悩みもよく耳にします。そんなときは、うちはマンションだから飼えないとか、家族がアレルギー体質だから飼えないなど、しっかりと理由を子どもに説明することです。さらに、最初にお話ししたように、動物を飼うということは、彼らのたましいを成長させるためのボランティアをすることなのだということも伝えましょう。きちんと面倒を見られない環境なのに飼おうとするのは、その動物にとっても不幸せなこと。別の飼い主を探すことが真の愛情です。

動物を飼い始めるとき、親の役目として、もうひとつ重要なことがあります。それは、動物たちのいのちについて、生まれてきた意味について、きちんと話してあげること。「動物を飼いたい」と子どもたちが言ってきても、すぐにイエスと言わず、動物を飼うことの責任などについても話してほしいと思います。

いのちについて、まず、動物たちのほうが寿命が短いということを話しましょう。ほぼ確実に、自分たちで動物の死を看取《みと》らなくてはいけないことを伝えるのです。

最近は、いのちの終わりに向き合うことがめっきり減ったと思います。核家族化が進んだ影響もあって、おじいちゃんやおばあちゃんと一緒に暮らすことも減り、人の死に触れることも少なくなっているのではないでしょうか。そればかりか、臨終に立ち会わせるのは「子どもがショックを受けたらかわいそうだから」と、あえてお見舞いに行くのを避けるケースもあるそうです。

こんな話をすると、「動物の死と人の死を比べるなんて不謹慎だ」と思う方もいるかもしれません。けれど、その感覚自体おかしな話です。命あるものとして、人も動物も何も変わりません。死は、命あるものならみな避けて通ることができない道であること、いのちの重さについてなど、「生と死の哲学」を伝えずに動物を飼うのは、無責任なことだと思います。子どもがまだ幼くて理解できない、と思う場合は、飼っていく過程でしっかりと話してください。

もっとも、そうした基本的なルールを守ってさえいれば、動物を飼うことで得られる学びのほうがずっと多いと思います。というのも、子どものたましいを成長させるうえで、動物と接することは、大きな情操教育になるからです。

動物は、とても素直です。感情をストレートに表しますし、こちらが愛をもって接したら、きちんと愛で返してくれます。動物たちとは言葉では会話をすることはできませんが、思いを向ければ、テレパシーでその思いを感じ取ってくれます。子どもたちは、誰しも無邪気で素直な感性を持っています。ですから、双方が共鳴しあえば、大人が動物に接するとき以上に、愛のキャッチボールをすることができるはずなのです。動物たちは、何の計算もしません。心と心で会話をする楽しさを知ることは、子どもの精神を育て、情緒を安定させることでしょう。

column

ペットに装飾品は必要？

犬に着せる洋服の専門店ができたり、ブランドショップでも、犬用のバッグやリードなどが売られたり、とペットをめぐるファッションはここ数年、華美になってきたように思います。ペットたちは、服を着ることやおしゃれをすることを理解しているのでしょうか。

スピリチュアルな視点からみれば、ただのファッションとして洋服を着せるのは、言葉は厳しいですが、人間のエゴ、物質的価値観だと思います。かわいい洋服を着せて散歩させることで、飼い主が自己満足しているだけ。動物たちは、着飾れてうれしい、おしゃれをしたいなどとは思っていません。

ただ、寒さに弱い犬だから、冬場はセーターを着せるとか、夏場、アスファルトが暑くなると、足をやけどするといけないから靴下をはかせるなど、理由が動物たちの健康を思いやってのことであれば、否定はしません。雨の日に毛が濡れないようにレインコートを着せるのも、動物を思ってのこと。そうした愛のある動機であり、動物の生理機能や個体差を理解したうえであれば、それは、動物たちのためになります。

マルチーズなどは、長毛を芸術的にカットしてショーに出すこともあるようですが、基本的には、そうしたものもファッションに過ぎません。動物たちのことを思えば、自然な状態が一番です。では、首輪やリードもしないほうがいいのか？　と思うかもしれませんが、これはまた違います。公共の場ではリードを離して散歩をさせてはいけませんし、動物たちの安全を守るために必要なものはするのが、飼い主の役目です。

チェックポイントは三つ。

1……自分のエゴで着飾らせたいのか？

2……動物のことを思ってのことか？

3……共存共栄していくために必要なことか？

この三点で動機を見極めましょう。

第四章　動物たちのスピリチュアリティ

動物たちの優れた霊能力

霊能者の私からみても、動物たちは、とても優れた霊能力を持っていると断言できます。

実際、地震や災害の前に、一斉にねずみがいなくなるなどの事例が報告されているようですが、動物の本能として、生命に危機が迫ったときに、潜在的な霊的能力も際立って発揮されるのではないかと考えられます。原始においては、人間にも備わっていた力だと思いますが、現在は、物質的な生活に染まりすぎて、ほとんど失われてしまっている力といえるかもしれません。

ところで、動物というのは、動物自身が霊能力を持つ以外にも、霊能者と同じような一面を持っています。それは、霊的な世界からの情報を媒介する「霊媒《れいばい》」（ミーディアム）の役割を果たすこと。

あなたも耳にしたことはないでしょうか？　お盆にお墓参りに行くと蝶々をよく見かけるとか、故人の命日になるといつも虫やクモが現れるなど。本来、お墓に故人がいるわけではなく、亡くなった人は霊界にいくものですが、お盆や命日など、特別な日には、現世の様子を見に来ていることがあるのです。そのとき、故人のたましいが蝶々や虫やクモに憑依《ひょうい》して、メッセージを伝えようとしていることがあります。あるいは、明確なメッセージを伝えるということではなくても、「いつも見守っているよ」といった思いを伝えようとして現れていることもあります。

このように、昆虫類は、霊媒になりやすいのです。ほかにも、通俗的な話として、「黒猫を見ると不吉なことが起こる」などといいますが、それも、猫自体が不吉なのではなく、何かのメッセージを伝えようとしている霊が、黒猫のみならず憑依していることがあるのです。

憑依というと恐ろしく聞こえるかもしれませんが、人が受ける憑依と動物が受ける憑依には若干の違いがあります。

まず、人間が霊に憑依されるのは、霊とその人の間に、「お見合い」が成立したときです。その人自身の波長が下がっていて、ネガティブな波長に引き合った霊が、まるで二人羽織を着るように重なるのです。ですから、憑《つ》かれるほうにも見直すべき点はあります。反対に言えば、波長が下がっていなければ、たとえ近くに未浄化な思いを残している霊がいたとしても、なんら影響を受けることはないのです。

動物の場合は、人間とは違い、波長が低いから憑依されるというのでもありません。人間には、その時々に喜怒哀楽《きどあいらく》、さまざまな感情があり、心にたえず思いがわいてきます。この思いが想念の波長を生んでいます。一方、動物たちにはまだ、複雑な心境を抱くだけの自我がありません。ですから、もっと純粋に、体を貸しているような感覚で憑依を受けるのです。

それに、憑依といっても未浄化な霊の憑依を受けるだけではなく、霊界のほうから何か重要なメッセージを伝えなくてはならないとき、動物たちが霊媒となって協力することも多いのです。転覆した船の乗組員をイルカが近くの島まで誘導したとか、サメに襲われそうになっているところをイルカが助けたといった話を聞いたことはないでしょうか。これらは、イルカが本能的に行った救助であると同時に、イルカが人を助けたというニュースが流れることで、普段は関心を持たない動物たちの存在に目を向けさせる霊界の計らいかもしれません。このように、海洋の環境汚染問題など、地球規模で考えなくてはならない問題に気づかせるきっかけのひとつになっていくこともあるのです。

家で飼っている犬や猫、小鳥にも、もちろん、霊的な能力は備わっています。けれど、人霊に近づいていく分、野生動物ほどの力は残していないようです。それでも、身近な動物たちが、普段とは違う様子であったときは、何か私たちにメッセージを伝えようとしているのかもしれません。神経質になりすぎることはありませんが、彼らの〝声〟に耳を傾けてみましょう。

動物の前世とグループソウル

動物は、霊的に優れた感性を持っているというお話をしましたが、では、動物にも、前世や来世があるのか？　守護霊はいるのか？　という疑問を持たれた方もいるかもしれません。答えは、すべて「イエス」です。どういった仕組みになっているか、順を追ってご説明しましょう。

まず、そもそも、動物たちのたましいはどこから来たか？　ということをお話ししたいと思います。実は、この世に生まれる前、つまり、霊界にいたときには、類魂（グループソウル）という〝たましいのふるさと〟にいました。

グループソウルについて説明するとき、私はいつも、「水の入ったコップ」にたとえます。動物のたましいは、ひとつのコップから、この世に一滴こぼれ落ちるように生まれて、この世で人に触れ合いながら、いろいろな経験を積みます。そして、死をもって肉体を離れ、たましいは、生まれる前にいたグループソウルに帰っていきます。

人間の場合も、やはり、グループソウルの中から、生まれてきました。はじめに、霊性の進化向上の順番についてお話ししましたが、人間の場合、人霊としての経験以外にも、これまでに鉱物、植物、動物であったたましいの経験がありま す。ですから、そうした過去世が、グループソウルのコップの中に入っているのです。

広い意味で言えば、グループソウルはひとつです。ただ、動物たちは、まだ進化の途中ですから、人霊としての経験をしていない状態なのです。別のたとえでいえば、人霊（人間）が「小学校」の学びの段階に来ているとしたら、動物は「幼稚園」のカリキュラムを学んでいるようなもの。同じグループソウルですが、たましいの成長段階が違うのです。

動物にもかつて、鉱物、植物だったたましいの経験（過去世）があります。なかには、すでに何度か動物として生まれた経験を積んでいるたましいもあります。その目的はひとつ。やがては人霊となること。そのために、再生を繰り返しているのです。

また、「守護霊」も同じグループソウルの中にいます。ただ、動物の場合、その守護霊は、自然霊という存在。たとえば、鉱物に宿る鉱物霊や樹木に宿る木霊《こだま》などで、そうした自然霊が、動物たちの霊性の成長を見守っているのです。

私たち人間の場合にも守護霊は必ずいて、その成長を親のように見守っています。人間の場合は、生前から死後も見守り続ける「主護霊」、職業や才能を司る「指導霊」、出会いや運命をコーディネートする「支配霊」、これらを補助する「補助霊」と、その役割によって大きく四つに分けることができ、みながあなたのたましいの成長を見守っています。

こうして比べてみると、動物の守護霊との違いがおわかりいただけるのではないでしょうか。人間には自我があり、大我《たいが》（自分よりも他者を思う愛）、神我（自分自身に宿る神性）を持っています。人霊としてたましいを磨くことは大変な修行ですから、守護霊のサポートも多岐にわたります。

これに対して、動物たちの場合、まだ自我に目覚めていませんから、生きていくうえでの葛藤《かっとう》も少ないといえます。たとえば、猫が自ら生き延びるためにねずみを捕り、餌《えさ》にしたとしても、「ねずみを殺してしまった。かわいそうなことをした」とは反省しません。それは、猫のたましいの中に、まだ「大我の愛」という理性がそれほど芽生えていないからです。動物たちの守護霊が見守るのは、愛を知ることができる「人霊」に至るまで、たましいを成長させること、ただそれだけなのです。

動物のたましいがたどる進化の道

動物たちは、やがて人霊へと成長していくたましいの進化の過程にある、とお話ししました。つまり、動物としての再生を幾度となく繰り返した先に、人霊へと進化を遂《と》げるのです。動物の来世について説明する前に、まず、人間のたましいは、死後どのような道をたどるのかを簡単にお話ししたいと思います。

人間の場合、死後、「幽現界→幽界→霊界→神界」へと向かう浄化の道をたどります。まず、この世とあの世の境目である「幽現界」におおよそ五十日程とどまります（ここで、現世への執着《しゅうちゃく》が強かったり、心配事があると、浄化できないまま、未浄化霊となってさまよう場合もあります）。

現世への執着を断ち切れている場合、次に「幽界」へと移行します。「幽界」は、いくつもの階層（ステージ）に分かれていて、現世でのたましいの成長度（生きていたとき、どれだけの経験と感動を積めたか）に合わせた階層に行きます。

そして、そこで現世を振り返り、その後、「霊界」でグループソウル（たましいのふるさと）に溶け込みます。その段階で、「もう一度現世でたましいを磨こう」と決めたたましいが、再生します。現世での修行を十分に終えたたましいであれば、この次に神と同一化していく「神界」へ進みますが、それはまれなケースで、おおよそは、人霊として再生します。

これが、人間（人霊）の場合の「死後たどる道」です。スピリチュアルな世界に馴染《なじ》みの薄い方にとっては、少し複雑に思えるかもしれませんが、気の遠くなるほどの段階を経て、私たちはこの世に生まれてきているということを心にとどめておいてください。

これに対し、動物の場合、死後しばらくはこの世との境である「幽現界」にいますが、その後はすぐにグループソウルに溶け込みます。グループソウルに帰るのが、人間と比べて早いのは、動物には〝理性〟がないから。人間の場合は、物事の善悪の区別がつく理性がありながらも悪いことをしたりして、グループソウルに帰結してからも、さまざまに反省することがあります。動物は、そうした理性もないため、たとえば他の動物をあやめたとしても、悪意を持っているわけではないので、罪の意識にさいなまれたりもしません。そうした違いがあることが大きな差なのです。

あの世には、現世でいうような「時間」はありませんから、あくまでも感覚的にとらえていただけたらと思うのですが、人霊が霊界に進むまでにはどんなに早くても数十年以上かかるといわれています。動物の場合、十数年でも再生を遂げていることがあります。ですから、あなたが子どもの頃に飼っていた鳥が、早い再生を遂げた場合、今度は犬として再生している可能性もあるのです。

再生といっても、亡くなった動物がそのまま生まれ変わることはありません。再生を繰り返すたびに、少しずつ人霊に近づいていくのです。おおまかにいえば、野生動物よりは、人に飼われている鳥、猫、犬のほうが人霊に近く、霊性は高いと考えられます。霊性の高さは、その動物たちの表情をみるとわかりやすいかもしれません。人と触れる機会が多い動物ほど、豊かな表情を見せるものですが、それは、霊性の高さゆえということができるのです。爬虫《はちゅう》類や魚類など、霊性がさほど進化していない動物は、どこか無機的に感じられるでしょう。

こうした「再生」の話をすると、ペットが亡くなったとき、「次に生まれるときもまた、我が家の子になってほしい」と願うかもしれません。それは自然な感情ですし、その可能性がまったくないとも言いません。しかし、動物たちは、さまざまな経験を積んで、霊性を磨きたいと思って、たましいを再生させるのです。グループソウルの一部が、同じ人のもとにやってくるのは、よほどの理由があったときだけ。たいていは、どこか別の場所や人のもとに、再生を遂げていることが多いでしょう。この世で再びめぐりあうことができなくても、一度結ばれた縁は、スピリチュアル・ワールドでずっとつながっています。

働く動物たちの霊性

私たちの身の回りには、ペットとして飼う動物以外にもさまざまな形で人と触れ合っている動物がいます。彼らは、人のためにその能力を発揮して、サポートしてくれる動物であり、ペットとして飼われる動物よりも、訓練を受けることで「理性」を身につけています。

たとえば、警察犬は、専門の訓練を受けて、犯人の足跡を追求したり、犯人の残した遺留品をもとに、居場所を突きとめます。警察犬には、どの犬種でもなれるというわけではなく、シェパードやボクサー、コリー、ラブラドールレトリーバー、ドーベルマン、ゴールデンレトリーバーなどが主に活躍しているそうです。これは、やはり、足跡を追求したり、臭気によって判断をしていくにふさわしい資質を備えた犬種であることが優先されるのだと思います。

スピリチュアルな視点からみても、霊性の成長がみられるといえるでしょう。次には人霊（人間）に進化できるくらいに高い霊性に成長している場合も多いのです。事件現場に出向いたときなどにも、感情主体ではなく、訓練を受けた動物なりの思考力、判断能力を発揮しているのです。ほかにも、盲導犬や介助犬、聴導犬など、人間をサポートしてくれる心強い犬たちもいますが、彼らも訓練によって、その霊性を成長させているのです。

盲導犬は、視覚にハンディをもった方の生活をサポートする犬として、皆さんもよくご存じでしょう。盲導犬を必要とする方に対して、日本ではまだまだ盲導犬の数が足りないと聞きます。というのも、盲導犬を育てることは、相当の訓練が必要になってくるからです。

盲導犬を育てるには、大勢のボランティアの協力を得ています。なかでも、生後二ヵ月から一年間、人と生活していくうえでのルールを教えながら一緒に暮らすボランティアのことを「パピーウォーカー」と呼ぶそうです。このボランティアをする方のドキュメンタリーをテレビで見たことがあるのですが、一般家庭におけるペットの躾、ひいては人間の子育てにも通じるものを感じました。一番大切なのは、最初に愛情を与え、基本的な社会ルールを教え、信頼関係を築くことです。

人のために働く動物たちは、訓練を受けているため、人に対して従順ですが、働く動機となるのは、やはり人から向けられる愛情と信頼です。それに応えようという思いがあるから、奉仕することができるのです。彼らは、人のために働くということを通して、霊性を高めています。家庭で飼われている犬たちと比べても、早く霊性を進化させようとしている勉強熱心なたましいの持ち主といえるかもしれません。

盲導犬など、人のために働く動物以外にも、動物園や水族館にいる動物、サーカスにいる動物などもいます。彼らは、家庭で飼われている動物とは違い、大勢の人を楽しませることを仕事としています。とはいえ、動物たち自身に、「人を喜ばせよう」といった積極的な意思はありません。

動物たちは基本的には本能を最優先させていますから、どんなに芸を教えられても、嫌なことなら、それに応えることはないでしょう。芸を教える場合でも、動物の生理機能を理解した上で、動物がそれをたのしいと感じながらできることであるかどうかの見極めが必要です。

たとえば、ラッコがお腹の上で貝殻を割るのは習性であり、それを芸として見せても、ラッコにとって苦痛ではないでしょう。そうした配慮がなされ、訓練士や飼育員の人が愛情を向けて指導することで、動物たちはその愛にひたむきに応えてくれます。動物園やサーカスなどで、あなたが出会った動物たちが楽しそうにしているなら、彼らは十分に愛情を受け取っているということ。拍手喝采《かっさい》を送って、あなたからも愛を向けましょう。

捨てられた動物たちのたましい

犬や猫を家族の一員として大切にしている人が大勢いる一方で、人間の身勝手で動物を虐待《ぎゃくたい》したり、捨ててしまう人も跡を絶ちません。もちろんごく一部だと思いますが、ペットショップなどで、人気の犬種を無理に繁殖させて、売れなくなると処分してしまうといった事例も報告されているようです。

また、最初は動物を好きで飼い始めた人の中にも、もう十分面倒を見たからという理由で老犬を手放すという人もいると聞きます。ほかに、餌《えさ》を与えなかったり、糞尿《ふんにょう》の後始末をせず不衛生に放置してしまう「ネグレクト」の事例も数多くあるそうです。

人間から愛情を向けてもらえず、虐待を受けるなどして捨てられてしまう動物たちのたましいは、いったい何を感じているのでしょうか?

動機は何であれ、動物を傷つけてはいけないことはいうまでもありません。信頼を置いている人間から傷つけられたり、捨てられると、彼らのたましいには強いショックが残ります。

動物よりも霊性が進化していない鉱物（石）の場合は、踏《ふ》まれたり蹴《け》られたりしても、何も抵抗はしません。道端に咲く花も、どんなにきれいに咲いても、自分で「美しい」なんてうぬぼれたりしません。つまり、無意識のうちに、自分よりも他人のために生きている存在なのです。しかし、鉱物や植物に比べてたましいが進化している動物には、感情が芽生えています。ですから、虐待を受けたり、捨てられた悲しみは、たましいに刻まれるのです。

虐待した人間のほうは、動物たちが受けた痛みにすぐには気づかないかもしれません。ただ、自分がしたことは「カルマの法則」によって必ず自分のもとに返ってきます。傷つけた動物たちからではなくても、周りの人間関係から同じような出来事が返ってくることもあるでしょう。そこで、「傷つけられることの痛み」や「無視されることのつらさ」をはじめて知ることが、その人にとっての学びとなるのです。

傷つけられた痛みをどれだけ深く感じているかは、虐待を受けた動物たちを見ていてもわかりますが、実は動物から人間に進化したばかりのたましいを見て、まれにそう感じるケースもあります。

というのは、動物であったときに傷つけられた経験を持つたましいは、必要以上に他の人に対する嫌悪感や拒絶反応を示すケースがあるからです。もちろん、すべての場合に当てはまることではありませんが、それほどまでにたましいには深く刻まれるということを心の片隅にとどめておいてほしいと思います。

虐待をする人間がいる一方で、虐待を受けた動物たちをボランティアで引きとる方もいると思います。たましいに深い傷を負っている子たちを前にして、「どのように接したらいいか」と、戸惑う人もいるかもしれません。

しかし、想像力を働かせて考えてみてほしいと思います。虐待を受けた動物たちだから、特別なメンタルケアをしなくてはならないと意識しすぎることはないのです。肉体的な衰弱が激しい場合は、獣医師さんと相談をして、餌のやり方を工夫したりする必要はあるかもしれません。しかし、精神的なケアにおいては、ただ「愛をたっぷり与える」ことが何よりも大切なケアになります。

ただ寄り添うこと。その寄り添いの中で動物たちに愛を向けるのです。こちらから動物たちに向ける愛が本物であれば、必ずその思いは、オーラとテレパシーによって伝わります。そうすれば、最初のうちは人間に対して持っていた警戒心も薄れていくでしょう。

虐待やネグレクトは、動物たちの世界だけではなく、人間の社会の中でも起こっています。そう、どちらも同じなのです。「愛の反対は無関心」といいますが、虐待を受ける動物や子どもたちが、あなたのすぐ目の前にいなくても、他人事《ひとごと》と思ってはいけません。地域、社会の中で起こっていることは、みな私たち全員の問題です。今この瞬間にも傷つけられているたましいがある。少しでもその数を減らしていくには、あなたからも愛を向けることが必要なのです。

column

肉食と動物のたましい

動物にもたましいがあるとしたら、肉食は、動物のたましいの進化を遅らせることにならないか？　と疑問に思うかもしれません。

スピリチュアルな視点からみれば、確かに、肉食はできれば控えたいものです。肉食をすることで、動物の持つ獣性が人のたましいにも刻まれるからです。

もちろん、動物たちのたましいへの影響もあります。ただ、野生においては食べられるということも弱肉強食ですし、自己保存の感情を持つ生き物としてはやむをえないこととして、動物たちはそれを受け入れているのだと思います。

この世は物質界ですから、肉食を一切やめるというのはきわめて難しいことかもしれません。完全なベジタリアンの方も何人か知っていますが、ダシひとつでも野菜だけでとることにこだわると、外食などはまずできないといいます。

ここで鍵を握るのは、人にも自分にも無理に強要しないことです。自然にできるのならばそのほうがよいのですが、我慢してまで禁じることもありません。自分自身のたましいが目覚め、「肉食をやめたい」と自然に思うのであれば、それに従っていいでしょう。けれど、自分のたましいの欲求にそむいて無理をして行うのであれば、たましいのうえで理論を理解していることのほうが大切です。

このさじ加減は難しいかもしれませんが、自分のできる範囲で取捨選択をしていくこと。人間が歴史の中で作り出してきたもの、文化、食生活などは、作り出したというカルマを背負っています。それを受け入れながら生きていくのも、学びなのです。日本はもともと肉食文化ではありませんでした。しかし、食も西洋化して、口にするようになったのですが、そのおかげで肉体的にタフになった部分もあるように思います。何事にも光と闇があります。

ただ、不思議なことですが、人間、年をとると、だんだん肉食が苦手になってどちらかというと菜食になっていくでしょう。あれは、適度に枯れていくというか、やがては霊的な世界に帰るための準備なのかもしれません。

第五章　幸せな別れ方

ペットの死と旅立ち

どんなにずっと一緒にいたいと願っても、犬や猫などのペットのほうが先にあの世に旅立つことのほうが多いと思います。それは、人間と動物の寿命を考えればやむをえないことでしょう。とはいえ、実際に動物たちの死に向き合うのはとてもつらい出来事です。その現実をどう受け止めればいいのでしょうか。

動物たちがこの世に生を受け、ペットとしてあなたの家にやってきたのは、ともに暮らしていく中で、たましいを成長させていくためでした。その学びが終わること、イコール「死」ということになります。

命あるものすべて、やがては死を迎えます。それは、たましいのふるさとであるあの世に帰ることであり、たましいにとっては、なつかしい里帰りなのです。この世の価値観でみれば、死は不幸なこと、悲しい出来事ととらえるかもしれません。しかし、霊的視野に立って考えたとき、犬や猫などのペットにとっても、野生動物など、ほかの動物たちもいる〝懐かしい場所〟に帰ることができる幸せなことなのです。

飼い主としては、別れの寂しさは当然あるでしょう。けれども、見送ることになったら、「今までありがとう」と感謝をこめて送ってあげてください。動物たちはとても素直で従順ですから、あなたが「いかないで！」と追いすがったら、せっかくの旅立ちをためらってしまうかもしれません。

　我が家でも、かつてゴールデンレトリーバーのサンタという犬を飼っていましたが、癌《がん》にかかり、家族で看取《みと》った経験があります。闘病中は葛藤《かっとう》も数多くありました。「どんな治療が一番いいのだろう」と、獣医師さんを交えて幾度も話し合ったものです。サンタの場合、病気が進行し半身不随になったため、散歩をさせることもままならない状態になっていました。体にかかる負担を考え、普段は軽い薬を使っていましたが、最後の頃には、ステロイドを使いました。

　獣医師さんから「しばらくは体が楽になるけれど、よくなっているわけではありません。でも、一時的に元気になりますから、好きなものを食べさせてやってください」とアドバイスを受けました。おかげで、好きなものをやることができ、最期は本当に眠るように旅立ちました。

「今までよく頑張ったね。もうどこも痛くないし、病気はなくなったから、向こうに帰ったら、思う存分遊ぶんだよ」とそう、話しかけながら、見送りました。

　しかし、サンタは亡くなってからしばらくは、我が家に帰ってきていたようです。いつも一緒に過ごしていたリビングで、時々「ドスン」という音が聴こえたのです。それはまさに、体の大きかったサンタが横たわるときの音でした。

「サンタ、もうここは帰ってくる場所じゃないんだよ」

　サンタにとっては、この世にとどまるよりも、大勢の仲間がいる世界に帰ったほうが幸せだとわかっていましたから、私は諭《さと》すようにそう語りかけたのです。しばらくすると、音がしなくなりましたから、本当の意味での旅立ちを迎えたのだと思います。

飼い主としては、かわいがっていた子だから、たとえ霊となってでも帰ってきてくれたら嬉しいし、ずっと傍にいてほしいと思ってしまうかもしれません。けれど、それでは彼らのためにはならないのです。一日も早く、霊的な世界へ帰れるように見送ること。それが、あなたを愛してくれた動物たちへの恩返しになるのではないでしょうか？

安楽死は
誰のためか？

長く闘病してきたペットを楽にしてやりたい。治る見込みがまったくない病状で、少しでも早く楽にしてやりたい。そんな思いから、安楽死を選択するというケースもあるかもしれません。これはとても難しい問題です。

スピリチュアリズムの観点からいえば、どんな病状であっても、それも偶然ではなく必然だと考えます。そして、寿命が訪れるときまで生をまっとうすることが大切ですから、できることならば、自然な形で死が訪れるのを待つほうがいいのです。

けれど、すべては、動機次第。もし、「苦しそうにしているのを見るのがつらい」という動機で安楽死を選択するなら、それは人間のエゴかもしれません。そうではなく、「苦しみの淵《ふち》から救いたい」という愛によっての選択であり、まったく完治の見込みがない状況であるならば、やむをえないことかもしれません。医療技術の進歩によって、こうした選択を迫られる場面は誰の身の上にも起こりうることだと思います。その時は、その動機が愛かどうかを自らに問いかけてほしいと思います。

そして、そうした判断を迫られたときは、獣医師の意見を積極的に仰ぐことが大切です。行きつけの獣医師さんのみではなく、他の獣医師にセカンドオピニオンを求めるなどして、冷静に考えてみてください。苦しんでいる子を見ると、どうしても感情的になりがちです。けれども、そうしたときほど冷静になることが大事。さまざまな意見を聞いて、どうするのがその子にとって一番よいのかを考えてあげましょう。

また、「安楽死」という決断をした場合、見送った後に、急に自責の念に駆られる人もいるようです。「自分が選んだこととはいえ、強引に殺してしまったのではないか」「あの子は本当は最後まで生きたかったのではないか」など、思い悩むのでしょう。

しかし、自分で決断した結果には、責任をもたなくてはいけません。必要以上に感傷的になっては、動物たちのほうが、あなたのことを心配して、旅立つことができなくなるかもしれません。

動物たちは、そこに愛があったなら、どのような結果であっても受け入れています。飼い主を責めたり、恨んだりするようなことはまずありません。ただ、もし動機に少しでも、厄介《やっかい》払いをするような気持ちがあったなら、その気持ちもそのまま伝わっているでしょう。

動物たちは、もともと人間に比べても霊的感覚に優れていますが、あの世に帰ってからは、さらに研ぎ澄まされます。人間のエゴや嘘などは見抜き、すべてお見通しだということを心にとどめておいてほしいと思います。

安楽死をさせるかどうかという決断に至らないまでも、延命治療を受けさせるかどうかという決断を迫られることもあるかもしれません。医療技術の発達によって延命できる可能性が増えたということも、この時代のカルマです。私たちが選択をしたことですから、それをどう受け入れるか、利用していくのかは、自分自身で決断していかなくてはいけません。

動物たちには、そのたましいの進化レベルから考えてみても、自己主張するだけの意思や欲求はまだありません。「延命したい」「長生きしたい」というような気持ちを持つのは、人間だからこそです。ですから、無理な延命をせず、流れのままに任せてあげることは、動物たちにとってはむしろ自然なことかもしれません。すべての判断基準は、その決断が大我（相手のため）か、小我（自分のため）か、なのです。

ペットロスから立ち直るには？

かつてカウンセリングをしていた頃、長年かわいがっていたペットを亡くし、そのショックから立ち直れない、という方も大勢お見えになりました。

愛犬を亡くしたという方のご相談を受けその犬と通信を取ると、テレパシーが伝わってきました。私には、その犬が思い描いた映像や景色などが視《み》え、それを言語化したのです。「自分の死に目に会えなかったからといって、そんなに落ち込まないで。元気を出して」と告げてきていることをお話ししました。

これを聞いた飼い主は、大粒の涙とともに、その子の言葉だと確信されました。聞けば、自分が外出している間に亡くなっていて、死に目に会うことができなかったというのです。もし自分がその場に居合わせたら助けることができたのではないか、と、ずっと後悔していらっしゃったのです。

動物たちは、ちゃんとわかっています。たとえそれがどのような別れ方であっても、飼い主を責めたりするはずはありません。

動物の本能からか、こうした別れはわりに多く、死期が近づくとふらりといなくなることがあるようです。看取《みと》られて旅立ちたいと思うのはどちらかというと人間の感性で、動物たちの場合は、気づかれずにそっと逝きたい、という思いが強いのかもしれません。

死に目に会えなかったという方だけでなく、自然死でなかった場合、飼い主の側に覚悟ができていないだけに、ショックが大きく残るようです。「愛猫が車に轢《ひ》かれて亡くなってしまった」というご相談を受けたこともありました。しかし、見た目にとても痛々しくてかわいそうに思えたとしても、肉体を脱ぎ去った以上、痛みや苦しみはありません。死という旅立ちは、その子のたましいにとって、大きな安らぎなのです。生まれてすぐに亡くなった場合でも同じです。一緒に過ごした時間がどんなに短くても、飼い主から向けられた愛を決して忘れません。

これが、霊的な真理です。とはいえ、ペットを失った後、心にぽっかり穴が開いてしまい、うつ状態に陥ってしまうなど、いわゆる「ペットロス」で苦しんでいる方が、年々増えているのだそうです。

我が子のようにかわいがっていた子がいなくなって、悲しくならない人はいません。私も愛犬を看取《みと》った経験があるからわかりますが、家族を失ったときとまったく同じ感情にさいなまれるもの。けれど、いつまでも泣き暮らしているのは、ペットたちにとっても、決してよいことではないのです。

動物たちは、この世を去ってもあなたのことを忘れていません。それどころか、あなたを案じています。自分がいなくなってショックを受け、悲しんでいる。その姿をいつまでも見るのはつらい、と思っているのです。あなたが一日も早く元気になることを心から願っているのです。

では、具体的にどうしていくのがいいかというと、餌《えさ》入れやケージなどを片付けることからはじめるといいと思います。これは、飼い主側の未練を絶つだけではなく、動物にとっても、「ここはもう自分の戻る場所ではないんだ」と悟ることができるという意味があるのです。

また、もし「新しい犬（猫）を飼おう」という気持ちになったら、それも、ペットロスから立ち直るひとつの方法です。亡くなった動物たちも、「ああ、もう自分の居場所はここにはないんだ。次の世代に移ったんだな」と思いますし、あなた自身も新しい子を迎える中で、気持ちも落ち着いていくでしょう。

これはなにも「亡くなった子を忘れなさい」といっているわけではありません。そうではなく、上手に思い出に変えていくことがペットロスから立ち直ることに繋がるのです。

ペットたちとの別れは、いつか必ずやってくるものです。それは、もしかしたら明日かもしれないし、五年後かもしれない。これは、予測できないことです。けれど、極端なことをいえば、たとえ明日別れることになっても後悔しないよう、思いをこめて触れ合ってほしいと思います。一瞬一瞬を大切にすること。それは、ペットだけに限らず、あらゆる関係において後悔を残さない「付き合い方」なのではないでしょうか。

ペットが喜ぶ供養の仕方

どのような供養をすれば、ペットたちが迷いなくあの世に旅立てるのか、という質問もよく寄せられます。

最近では、さまざまなペット霊園がありますし、ペット専門のお葬式やセレモニーをしてくれる業者も増えました。ペットを家族同然に思う気持ちから、葬送の仕方や供養についても、人を見送るときと同様に、気がかりなのだと思います。なかには「ペットと一緒のお墓に入りたい」という人もいるそうで、そこまで来ると、執着《しゅうちゃく》が強すぎるのではないか、と危惧《きぐ》してしまいます。

動物が亡くなったとき、ペット霊園で火葬する人もいるでしょうし、家の庭にお墓を作ってそこに土葬する人もいると思います。最近では、自宅まで移動火葬車を呼んで、家族立会いのもと、お骨あげまでを行うなど、見送り方は多様化しているようです。

動物の場合、基本的に「肉体」にそれほど強い執着を持ちません。ですから、どのような形で埋葬しても、さほどの違いはないといえます。埋葬の形式によって浄化できるかどうかが決まるわけではありませんし、自宅の庭に埋めたから、いつまでも浄化できず、家にさまよっている、といったこともまずありません。人間とは違い、財産など、物質的なしがらみもありませんから、スムーズにグループソウルへ帰ることができるようです（詳しくは82～85ページ）。

霊界への旅立ちを妨げるものがあるとすれば、それはむしろ、人間のほうの執着です。「ペットロスから立ち直るには？」（110～113ページ）のところでもお話ししましたが、飼い主が寂しがっていたり、死を受け入れられないでいるほうが、動物たちの浄化やたましいの成長を遅らせてしまうことになるのです。

もし、本当に動物たちを愛していたなら、あなたのほうから未練を絶ってほしいと思います。それが、あなたにたくさんの思い出と愛をもたらしてくれた動物たちへの最後のやさしさです。

供養という意味では、墓前に好物をお供えしても構いません。しかし、それも亡くなってしばらくの間で十分。亡くなった動物たちからの通信を受け取ると、確かに「食べ物」のことを伝えてくるケースが多いのですが、それも、動物らしいといえると思います。人間のように「最後に○○が食べられなくて心残りだった」など、未練を伝えてきたりはしません。もっと単純で、「チーズが好きだった」とか「いつもパンの耳をもらっていた」といったほほえましい話がほとんどです。

飼い主からすると、「え？　そんなことを覚えていたの？」と感じるような無邪気なエピソードを告げてくることもあります。たとえば、「いつも靴下で遊んでいて怒られた」とか「足の匂いが忘れられない」など。可愛がっていたペットが亡くなって悲しみに暮れていた飼い主も、私からそうした通信を伝えられると、ふっと気持ちが和んでおられました。

供養といっても、形にこだわる必要はありません。形ではなく、どれだけ思いをこめられているかが重要だからです。なかには、本格的に「ペット用の仏壇」を用意する人もいるそうですが、写真立てに思い出の写真を飾り、そちらに話しかけるだけでも、思いは届きます。そのときも、「もっと一緒にいたかった」とか「死んでしまって悲しい」といったことを話すのではなく、家族の近況を報告するなど、前向きな話題を選びましょう。写真がいわば「アンテナ」の役割をして、霊界にいるペットたちにあなたの思いを伝えてくれます。

亡くなったペットと会う方法

先にあの世に旅立った愛するペットに再会したい。それは、家族の一員としてペットを慈《いつく》しんでいた人にとって、自然な願望ではないかと思います。そして、再び会うことは、決して不可能なことでもありません。

まず、一番身近な再会の方法は、夢で会うこと。これは、亡くなった動物だけでなく、故人ともコンタクトを取ることができる方法で、夢で会うことを「スピリチュアル・ミーティング」といいます。

私たちはみな、眠っている間に霊的な世界に帰っています。そこで、たましいのエネルギーチャージをして帰ってくるのです。「幽体離脱」というと、とてもオカルティックに聞こえるかもしれませんが、実は誰もがみな、睡眠中には幽体離脱をして、霊的な世界にいったん帰っています。

そこで、亡くなった動物たちとも会うことができます。眠る前に「会いたい」という念を送るのです。霊界に帰っているペットたちが、その念をテレパシーでキャッチしたとき、夢に現れてくれるでしょう。ただ、目覚めた時、あなたが再会したことを覚えていないこともあるかもしれません。けれど、お互いのたましいの記憶には、久しぶりに会えたよろこびが刻まれているのです。「こんなに念じているのに、どうして夢に現れてくれないの？」と思う場合でも、実は、すでに夢で会っていることもあります。

もっとも、念じていてもなかなか夢で再会できないことも確かにあります。それは、まだ、あなた自身が、「ペットが死んでしまって悲しい」「いなくなってから毎日塞《ふさ》ぎこんでいる」という状態である場合。夢で会えたことがかえって寂しさを募らせてしまうようなときは、まだ「スピリチュアル・ミーティング」の準備が整っていない状態なので、夢に現れないことがあるのです。精神的にも落ち着いて、死別の悲しみが少し癒《い》えた頃、ふと夢で再会できるというケースが多いようです。

「夢でもいいから会いたいのに、現れてくれない」。そんなときは、会えないことにもちゃんと意味があります。会えないことが「あなたをよけい寂しがらせないように」という、動物たちからあなたに向けられた思いやりなのだということに気づいてほしいと思います。

また、究極のことをいえば、あなたがやがて現世での一生を終えてスピリチュアル・ワールドに戻ったときには、必ずかわいがっていたペットたちと再会を果たすことができます。動物たちと人間では、帰る世界は異なりますが、あの世は「テレパシー」の世界ですから、あなたが「会いたい」と思えば、面会をすることはできるのです。

さらに、動物たちと話をすることもできるようになります。人間と動物は、普段もテレパシーで交流をしています。人間にもかつて動物だったたましいの経験があるため、特別な霊能力がなくても、テレパシーを受け取れるはずなのです。ただ、人間が肉体にこもっているうちは、どうしても霊的な感覚が鈍っていますから、テレパシーで交流していることをはっきりと知覚することが難しいのです。

しかし、ひとたびあの世に戻れば、霊的感覚が冴え渡るため、テレパシーによる交流がスムーズに行えるようになります。一緒に遊んだ思い出など、楽しかったさまざまな話をすることができるでしょう。やがては必ず再会できるのですから、たとえ、死別の悲しみが襲ってきても希望を持ってください。再会するとき、思い出話をたくさん持ち帰れるように、あなたはあなたの人生を精一杯輝かせることが大切なのです。

動物たちの恩返し

犬が、交通事故に遭いそうになった飼い主の身代わりになって亡くなる。飼い主が病気で亡くなった後を追うように愛犬も他界した。こうしたエピソードを聞くと、動物のけなげさに胸が熱くなります。「これまで面倒をみてくれたことへの恩返しをしてくれたのでは？」「後を追うほど、飼い主のことを愛していたんだ」と感じる人もいるかもしれません。そういうふうに思う気持ちもわかるのですが、実際のところは、本能的に「飼い主がいなくなると生きていくことができなくなる」と察知してのことだといえます。家で飼われている動物たちは、ひとりで生きていくことの難しさを知っていますから、自己保存の本能が働くのです。

それが、実際のところではあるのですが、一方で、動物たちが飼い主のことをいかに思っているのか、その忠実さを痛感したカウンセリングもありました。長患いをしている犬が、何度も危篤状態になりながらも持ちこたえてくれている。獣医師さんに診《み》てもらったところ、生きていられるのが不思議なほどで、すでに内臓の機能もほとんど停止状態にあるという飼い主さんからのご相談でした。

寝たきりで、立つこともできないのに、この子はどうしてここまで頑張ってくれるのか、見ていてもつらい状態で、救いを求めておられました。

そこで私が霊視をしてみると、その犬が「この人を最期まで守らなくてはいけないんです」といったメッセージを告げてきました。

そこまでどうして思うのか、私は飼い主の方に質問してみました。すると、もともとその犬は迷い犬で、その方がかわいそうに思って保護し、以来ずっと面倒を見てきたそうです。それで、口癖のように「恩返しだと思って、私の面倒をずっと見てね」と語っていたのだといいます。私が、その犬が霊界に旅立たず頑張っているのは、その言葉をずっと忘れていないからだとお伝えすると、ただただ驚いておられました。

その後、彼女は、「もう十分守ってもらったから、大丈夫。ありがとう。無理に頑張らなくてもいいからね」。そういうふうに語りかけるようにしたそうです。しばらくして、すっと息を引き取ったという話を聞きました。

このように、動物たちはとても素直なので、飼い主が言った何気ない一言もたましいに刻み、忠実に守ろうとするのです。

あなたも、飼っている犬や猫に毎日、家庭で起こっていることや日々の生活の愚痴などを話していませんか？　実はそうした一言一言をじっと聴いて、すべてを知っているのです。

残念なことに、自分の中の鬱憤《うっぷん》をはらすために、弱い存在である動物たちに当たる人がいますが、そうしたときに聞いた暴言なども全部、ネガティブなエネルギーごと感じ取っています。「わからないからいいだろう」と思ってはいけません。あなたの言葉だけではなく、あなたが抱いた思いもすべてテレパシーで受け取っているのです。あなたの思い、言葉、行動。そのすべてをわかっている動物たち。あなたは、普段どんな心で、彼らに向き合っていますか？

もし、あなたが満足のいく形で面倒を見られなかったと思っていたり、結果的に不本意な形で別れたとしても、これから、絆《きずな》を深めることも決して不可能ではありません。あの世に先に旅立っている子たちには、あなたが、心で思ったこと、念じたことがそのままストレートに届くからです。本当に悔やまれることがあったとしても、心からその思いを伝え、「ごめんなさい」と念じれば、必ずその気持ちが届き、誤解や後悔がほどけていくと思います。

動物もあなたも、たましいをもった霊的な存在です。そのことを今いちど思い出してください。あなたにもかつて動物であった「たましい」の歴史があり、動物たちは、これから先、人霊へと進化していく「たましい」の未来があります。たましいが結ぶスピリチュアルな絆は、未来永劫《えいごう》、決して途切れることはないのです。

column

天国からのメッセージ

「大変かわいがっていた猫が亡くなってしまった。今、あの世でどうしているでしょうか」。公演で行った公開相談で、そんな質問を受けました。会場の皆さんの多くは、動物からのメッセージを聴くのはおそらくはじめてだったのではないかと思います。もっとも、動物といっても、飼い主さんからすれば長年ともに暮らした家族です。さっそく霊視してみますと、病気で患《わずら》っていたことが嘘のように元気になり、そのご相談者の周りを飛び回っていました。

「食べることが大好きな猫ちゃんだったでしょう？　最後までおいしいものをいろいろ食べられて満足していますと伝えてきています」と申し上げると、まさに我が家の猫だと実感されたようでした。その方は、「自分も年だし、そのうちすぐいくから、待っていてね」と亡くなった猫に話しかけていたようですが、「そんなことは言わずに、元気で人生を生き抜いてほしい」というメッセージも来ていました。

そうした通信をお伝えした後も、黒ブチの猫など、次から次へと現れたのでぞのままお話ししました。それは、彼女がこれまで面倒を見てきたたくさんの猫たちの姿でした。

　このカウンセリングの例だけではなく、動物たちは、たとえどんなに時間が経っても、飼い主のことを決して忘れません。あなたが傾けた愛情をしっかりと胸に刻んであの世に旅立っているのです。生前にともに築いた絆《きずな》は、死によって分かたれることはなく、むしろ死の後も、深く結ばれていくものなのです。

　スピリチュアルなパートナーとして、永遠の絆をもてるかどうか。それは、生前にどれだけ、「たましいのボランティア」に協力できたかによってかわってきます。あなたが動物たちにまっすぐに向き合い、ふれあえたと感じるなら、たましいのレベルで絆は繋《つな》がっています。あなたの目には見えないかもしれませんが、動物たちはあの世で幸せに暮らし、時々はあなたの様子を見にきてくれていることでしょう。

すべてに愛を向けて

　最初にも触れましたが、私たち人間も、かつては鉱物や植物、動物であった「たましい」の経験があります。グループソウルというたましいのふるさとに帰れば、そうした懐かしいたましいとも再び溶け合います。

　こうした「たましい」であった記憶が刻まれているからでしょうか。私たちは、咲き誇る花に感動したり、パワーストーンなどの鉱物から、サプリメントのようにエナジーを分けてもらうことができるのかもしれません。

　今回は、動物、なかでもペットとして暮らす動物たちについてお話ししてきましたが、彼らと同様、花も石も、いつかは人霊へと進化をしていく「たましい」です。そうした視点で周りを見渡せば、すべてが愛しく感じられるのではないでしょうか。

ペットを愛することはとても素敵なこと。でも、道端に咲いているけなげな雑草ひとつにも同じ愛を向けていますか？　すべてはおなじ「たましい」です。

それから、ペットを溺愛《できあい》する人の中には、わが子の代わりにしすぎている人が多いように感じます。「言うことをきいてくれない息子と違って、動物は反抗もしないからかわいい」なんて、身勝手な理由でペットを溺愛してはいませんか？

少子化が加速している昨今、これからはますます、ペットを子どもがわり、孫がわりのように飼う人が増えていくかもしれません。医療の進歩もあり、動物たちも長生きになり、一緒に過ごすことができる時間も長くなっていくでしょう。それだけに、ともすれば、べったりと依存してしまう飼い主も多くなりがちです。しかし、人間の子育てとも同じで、たましいは別々の存在。動物たちには動物たちの目的があってこの世に生まれ、あなたのもとにやってきたのです。そのことを忘れないでいただけたらと思います。

ここまでお話ししてきて、おわかりいただけると思いますが、動物たちを大事に思うなら、同じように周りの人にも愛を持って接していくことが大切です。たましいは、究極的にいえば、〝ひとつ〟なのですから。

《巻末付録》

動物とのコミュニケーションをはかるための

インスピレーション訓練カード

犬や猫など、家族の一員としてあなたのもとにやってきたペットたち。本来、私たち人間と動物は、オーラとテレパシーで交流することができるのですが、人間のほうの〝感じ取る力〟が弱まっている場合もあります。「うちの子は、今どんな気持ちなんだろう?」と、そんなふうに知りたくなることも多いのではないでしょうか。

今回は、この本だけのオリジナルで、動物とのコミュニケーションをはかるための「インスピレーション訓練カード」を付録として考案しました。このカードを使って、動物と人間それぞれの体にそって現れる「幽体のオーラ」、なかでもその頭上の部分に現れる感情のオーラの反応をみるのですが、決め手となるのは、動物と人間が、お互いのインスピレーションをどれだけ駆使できるかです。カードを近づけても、動物たちが一枚のカードを上手に選ぶことができないときもあると思います。そこで、「うちの子はどれを選んでいるのかわからない」と匙《さじ》を投げるのではなく、テレパシーで話しかけてみるのです。そこであなたがピンと来たカードがあれば、それはペットからテレパシーを受け取った答えかもしれません。日頃からこの訓練を積むことで、カードを使わなくてもお互いにコミュニケーションを深くはかることができるようになるでしょう。

【使い方】

赤、青、黄、紫、緑、オレンジ、金、銀の八枚のカードがあります。これを一枚ずつ、ペットに近づけてみてください。カードを近づけるとき、あなたからペットにテレパシーを送って、どのカードが気になるか聞いてみましょう。吠《ほ》えるなどして、もっとも興味を持ったカード、あるいは、あなたがテレパシーで受け取った色のカードが、今のペットたちの感情を表しています。書かれたメッセージを参考にしてください。

また、このカードにおいては、飼い主の方が一番気になるカードを選ぶことで、ご自身の「今の状態」も見ることができます。ペットとコミュニケーションをとるときのヒントにしてください。動物を飼っていない方でも今の状況を知ることができます（このカードでわかるのは、人の場合も「幽体のオーラ」。頭上の部分でわかる〝そのときの感情〟です。たましいの気質を表す「霊体のオーラ」ではありません）。

【ご使用にあたっての注意】

このカードは、動物たちの感情を知る参考になるものですが、カードを近づけてみて、あまりにも嫌がるようなら、無理強《むりじ》いをしてはいけません。また、このカードを口に入れたり、飲み込むと危険ですから、使用するときは目を離さないようにしましょう。

カバー・表紙・口絵・目次写真／新美敬子
本文写真／植木裕幸　福田豊文（U.F.P.写真事務所）
イラスト／野田節美
装幀／富岡洋子

ヘアメイク／渡辺和代（ヘアメイク・ワッズ）
スタイリング／高橋毅
衣装協力／伊勢丹スーパーメンズ
ISETAN MEN'S SUPER MEN'S SHOP
撮影協力／ウエディングレセプションハウス「ラファエル」

『婦人公論』二〇〇七年一月二二日号から二〇〇七年七月二二日号までの連載「ペットとスピリチュアルに暮らす」に、大幅加筆しました。

江原啓之

スピリチュアリスト、オペラ歌手。一般財団法人日本スピリチュアリズム協会代表理事。吉備国際大学、九州保健福祉大学客員教授。1989年にスピリチュアリズム研究所を設立。出版、講演活動などで活躍中。主な著書に『幸運を引きよせるスピリチュアル・ブック』、『あなたにメッセージが届いています』、『たましいの履歴書』、『たましいの地図』、『厄祓いの極意』、『あなたが輝くオーラ旅』などがある。
公式ホームページ　http://www.ehara-hiroyuki.com/
携帯サイト　http://ehara.tv/
日本スピリチュアリズム協会図書館（携帯文庫）サイト
http://eharabook.com/
＊現在、個人カウンセリング、お手紙によるご相談は受け付けておりません。

ペットはあなたの
スピリチュアル・パートナー

二〇〇七年　九 月二五日　初版発行
二〇一九年　一 月一〇日　一〇版発行

著　者　江《え》原《はら》啓《ひろ》之《ゆき》
発行者　松田陽三
発行所　中央公論新社
〒一〇〇-八一五二
東京都千代田区大手町一-七-一
電話　販売　〇三-五二九九-一七三〇
　　　編集　〇三-五二九九-一九〇〇
URL http://www.chuko.co.jp/

DTP　ハンズ・ミケ
印　刷　大日本印刷
製　本　大日本印刷

Published by CHUOKORON-SHINSHA, INC.
Printed in Japan　ISBN978-4-12-003870-9 C0095

江原啓之の本

中央公論新社

江原啓之のスピリチュアル人生相談室
（単行本・文庫版）

「なぜ、私は幸せになれないの」「兄弟姉妹はなぜ争うの」「姑との仲は修復できますか」「私は一生結婚できないのでしょうか」「すべての不倫が悪なのですか」「引きこもるわが子を救えますか」など、読者からの質問にスピリチュアルな視点から回答する、人生相談。
秘蔵写真をまじえ、自身の半生を綴る、書き下ろし特別エッセイ付き。

あなたのためのスピリチュアル・カウンセリング
（単行本・文庫版）

「どのような苦しみも悲しみも、そこから逃げることなく受け容れて、乗り越えてこそ、その先に本当の幸せがあるのです」。24人の相談者の紙上カウンセリングを通して、夫婦、愛、生と死などの問題を考えます。本書のなかに、幸せになるためのヒントがあります。

赤のカード

for PET

今、パワーがみなぎっている状態です。普段から、何にでも関心を示す元気いっぱいの子ですが、今日は、よりいっそうエネルギッシュになっています。ただ、興奮しすぎてバテてしまいやすい傾向もありますから、散歩では、はしゃぎすぎないように気をつけてあげましょう。

for YOU

今、刺激を求めたい気持ちになっているようです。じっとしているよりも、行動したいと思っているのではないでしょうか。心に留まっていることを実践するには最適の日です。ペットを飼っている人なら、普段は後回しにしているようなペットの身の回りの掃除などを一気に片付けましょう。

青のカード

for PET

クールな感情が際立っている一日です。いつもなら無邪気に走り回ったりしているのに遊びにも関心を示さないかもしれません。「今日はおとなしい」と感じるかもしれません。ペットの様子をよく観察して、何日も同じ状態が続くようなら、体調面にも気を配ってください。

for YOU

分析力に優れ、冷静な判断ができる一日です。感情的にならずに物事を考えられるので、頭が冴え渡るように感じられるはず。仕事などもはかどるでしょう。ペットと触れ合うときは、いつもよりも優しく触れて、より深く親密にオーラのコミュニケーションをはかりましょう。

黄のカード

for PET

ほがらかで明るい気分でいっぱいになっています。今日は散歩に出かけたり、人に触れ合うほど、元気が増す一日でしょう。アイドル性に満ちているので、散歩の途中でも、いろいろな人から声をかけられるかもしれません。思う存分一緒に遊んであげると、ペットは喜ぶでしょう。

for YOU

今日のあなたはいつも以上に楽天的な気持ちになっています。あなたが前向きな姿勢になっているので周りにも笑顔が絶えず、朗らかに過ごせるでしょう。ペットたちにもあなたのそのエナジーが伝わっていますから、あなたの波長に共鳴して、元気に過ごせる一日になります。

紫のカード

for PET

愛されたい、かまってほしいという気持ちが強くなっているようです。もともと優しい気持ちに溢れた子だと思いますが、今日は、少し寂しがりになりやすいかもしれません。たっぷりの愛情をこめて、接するようにしましょう。ブラッシングするなど、体に触れるケアも入念に。

for YOU

調和を重んじ、人との和を乱さないように気をつけようと思っていませんか。そんな気持ちを表すように、今日はとても周囲に同情しやすくなっています。人間関係ではメリハリを持つとともに、ペットが度を越したわがままを言っても、甘やかしすぎさないようにしましょう。

緑のカード

for PET

とても和んだ気持ちで、リラックスしているようです。いるだけで、周りもふっと落ち着けるオーラを放っています。ほのぼのとした癒しをもたらしてくれるペットに、あなたから「ありがとう」とテレパシーを送ってみてください。ペットにも愛のエナジーが補給されます。

for YOU

争うのが嫌いな気持ちが強まっている一日です。ペットたちは、あなたを励まそうと優しさを向けてくれています。また、動物を飼っていない人は、今日は、周りにかわいい犬や猫がいたら、触れ合ってみたり、テレパシーを送ってみてください。心から癒されることでしょう。

オレンジのカード

for PET

物怖じせず、人なつっこい気持ちになっています。人からの愛をたっぷり受けとって、とても安定した状態にあるようです。いつもよりも、ペットの感情がはっきりと表れるので、何を訴えているのかわかりやすいかもしれません。こんな日は、オーラでたっぷり愛を交換しましょう。

for YOU

太陽のように明るく朗らかな気持ちになれる一日です。ただ、ちょっと面倒見がよくなりすぎる傾向も。ペットたちの世話をかいがいしく焼くのは悪いことではありませんが、甘やかしすぎはいけません。動物を飼っていない人も、おせっかいの焼きすぎに気をつけましょう。

金のカード

for PET

今日は、感受性が豊かになっています。いつもよりも表情が豊かに見えるかもしれませんが、あなたと積極的に交流を持ちたいと感じているようです。金は叡智《えいち》を表す色。ですから、より高度なレッスンとして、ペットとテレパシーで会話をしてみるといいかもしれません。

for YOU

今日、このカードが気になった人は、「表現したい」というエナジーに満ちています。また、創作意欲もわきやすい一日。ペットを飼っている人もそうでない人も、自分自身が動物の目線になってみるのも面白いでしょう。普段、見えないものを発見できるかもしれません。

銀のカード

for PET

今日は、いつもよりも「こだわり」が強くなっているようです。散歩でも、いつもは通らない道に興味を示したりするかもしれませんが、それはその子が「冒険」を求めているからです。主導権はあなたが持ちながらも、いつもより少しだけペットの自由にさせてもいいでしょう。

for YOU

このカードが気になったときは「ひとりでいたい」という気持ちが高まっています。ひとりになる時間は、自分自身を知るうえで大切な内観のひとときになるので大事にしましょう。ただ、ペットを飼っている人は、その子を寂しがらせないよう、適度に遊ぶようにしましょう。